Chère lectrice,

En ce début d'année [...] bien des surprises, des surp[...] des cinq romans que j'ai spécialement choisis pour vous.

Dans *Un admirateur secret* (n° 1985), le premier volume de votre nouvelle série Six cœurs à conquérir, Emily Winters apprend avec consternation que son père veut la marier avec l'un des six cadres célibataires de la société qu'il dirige… Avec son amie Carmela, elle décide alors de forcer le destin et de trouver au plus vite, à ces six candidats au mariage, les femmes de leur vie… Le destin, il en est également question dans *Le bébé surprise* (n° 1986), où Del Delaney apprend par hasard que la femme qu'il a passionnément aimée quelques mois plus tôt et dont il n'a plus de nouvelles va bientôt être maman. Il y a de très fortes chances qu'il soit le père du bébé et que sa destinée bascule…

Dans *Un papa inattendu* (n° 1987), c'est Cole Standen qui fait une expérience inédite : en tant que militaire chevronné, il n'a pas du tout l'habitude des enfants. Quels ne sont donc pas sa surprise et son désarroi quand, au beau milieu d'une tempête de neige, viennent se réfugier chez lui cinq adorables bambins dont un bébé âgé de quelques mois à peine ! Le destin de Briny Tucker va lui aussi basculer dans *Une merveilleuse destinée* (n° 1988), lorsque ce modeste ouvrier apprend qu'il vient de gagner cinquante millions de dollars à la loterie… Enfin, *Pour l'amour d'un milliardaire* (n° 1989) vous montrera comment Beth Cox refuse les avances de Kane O'Rourke, le célibataire le plus convoité de Seattle, car elle a bien l'intention de contrôler sa destinée dans les moindres détails… avant de se laisser prendre au jeu de l'amour !

Bonne lecture !

La responsable de collection

Un papa inattendu

CARA COLTER

Un papa inattendu

COLLECTION HORIZON

*éditions*Harlequin

Cet ouvrage a été publié en langue anglaise
sous le titre :
MAJOR DADDY

Traduction française de
MARIE·VILLANI

HARLEQUIN®

est une marque déposée du Groupe Harlequin
et Horizon® est une marque déposée d'Harlequin S.A.

Originally published by Silhouette Books,
division of Harlequin Enterprises Ltd.
Toronto, Canada

Toute représentation ou reproduction, par quelque procédé que ce soit, constituerait
une contrefaçon sanctionnée par les articles 425 et suivants du Code pénal.
© 2004, Cara Colter. © 2005, Traduction française : Harlequin S.A.
83-85, boulevard Vincent-Auriol, 75013 PARIS — Tél. : 01 42 16 63 63
Service Lectrices — Tél. : 01 45 82 47 47
ISBN 2-280-14404-2 — ISSN 0993-4456

Prologue

Cole Standen s'éveilla en sursaut.

L'espace d'un instant, dans l'obscurité d'un noir d'encre, impénétrable, il se crut de retour dans les inhospitalières contrées de nuits glaciales, de tempêtes de sable, de rochers escarpés et de dangers cachés qu'il avait connues. Il retint son souffle, l'oreille aux aguets.

Ce furent les senteurs familières qui le ramenèrent peu à peu à la réalité. Celles des cèdres et des pins, exhalées par l'humidité de cette nuit de tempête et qui s'engouffraient par la fenêtre entrouverte de la chambre. Celles, réconfortantes, de son enfance.

Puis il perçut les sons à l'extérieur du chalet. Les violentes bourrasques au travers des cimes. La pluie battante sur le toit. Les vagues venant se fracasser sur la rive rocailleuse du lac.

Il poussa un soupir, sentit ses muscles se relâcher. Il était chez lui.

Lorsqu'il s'était couché, le vent était au plus fort. Ce n'était donc pas les rafales qui l'avaient réveillé. De toute façon, de par son entraînement militaire, il était à même de distinguer les bruits habituels, même chaotiques, et de dormir malgré tout relativement bien. Mais le moindre craquement étranger, si ténu soit-il, l'alertait instantanément. D'ailleurs, celui qu'il pensait avoir entendu était si faible qu'il aurait tout aussi bien pu l'imaginer.

Bien au chaud sous sa couette, attentif au moindre souffle, il attendit que son esprit lui confirme qu'il n'y avait aucun danger. Après tout, il était quasiment seul dans cette anse isolée du lac Kootenay, au pied des monts Purcell, en Colombie-Britannique. En ce mois de novembre, il y avait longtemps que les vacanciers de l'été avaient cloué des planches en travers des fenêtres des rares cabanes alentour. Seule la nouvelle villa voisine — selon la rumeur, celle d'une vedette de cinéma — avait l'air d'être encore occupée. Le soir, de la lumière se déversait des baies vitrées, en surplomb du lac, avant de se refléter en rubans d'or sur les eaux noires et agitées, en contrebas.

La demeure en question, une monstruosité sans âme toute de stuc blanc, défigurait le paysage d'Heartbreak Bay, ce que lui reprochait Cole chaque fois qu'il l'apercevait. Heureusement, elle était en hauteur, assez loin pour que sa sensation d'isolement demeure relativement intacte.

Mais bien que sa raison s'efforçât de le convaincre qu'il était plus en sécurité ici, sous son toit, que n'importe où ailleurs, son instinct ne désarmait pas. Il plissa le front, toujours à l'écoute, puis, tout à coup, entendit de nouveau l'étrange bruit.

Sourcils froncés, il tendit la main vers l'interrupteur mais sans succès ; les coupures de courant n'avaient rien d'inhabituel dans cette région isolée aux conditions météorologiques peu clémentes en hiver. Il ouvrit alors le tiroir de la table de chevet et se saisit d'une torche électrique, repoussa sa couette, enfila son jean, et alla prudemment se poster à la fenêtre.

Toc, toc, toc.

Les coups étaient faibles, étouffés par la fureur de la tempête qui faisait rage au-dehors, et pourtant…

Toc, toc, toc.

Ils provenaient de la porte d'entrée. Une branche d'arbre certainement, secouée contre le battant par les rafales. N'était-il pas chez lui, au Canada, loin de tout danger ? Et pourtant… ce fut le soldat qui alla ouvrir la porte à la volée, prêt au combat.

Il ne vit tout d'abord que la nuit, ne sentit que la morsure cinglante de la pluie sur son visage et, dans ses cheveux, la glaciale caresse du vent. Puis un drôle de miaulement lui fit baisser les yeux, et le faisceau de la torche éclaira le plus inattendu des spectacles : une fillette en chemise de nuit blanche se tenait devant lui, les yeux agrandis par la peur, serrant tout contre sa poitrine une poupée emmaillotée dans une couverture.

Âgée d'environ onze ans, elle faisait peine à voir, si frêle, avec ses longs cheveux bruns tout emmêlés et son regard terrifié.

Tout à coup, la poupée laissa échapper un farouche vagissement, tout aussi effrayant que le plus féroce des cris de guerre qu'il ait jamais entendu. Il recula instinctivement d'un pas, puis se rapprocha pour observer plus attentivement le fardeau de l'enfant… qui remuait doucement. Ce n'était pas une poupée mais un bébé bien vivant !

Le sang de Cole se glaça, tandis que son cerveau s'efforçait d'assembler tant bien que mal le bric-à-brac d'informations insensées qui l'assaillait.

C'est alors que le soldat, le meneur d'hommes qu'il était, prit la situation en main. La priorité numéro un était de mettre ces enfants à l'abri.

— Entre, dit-il d'un ton ferme.

Mais quelle ne fut pas sa stupéfaction lorsque la fillette, malgré l'autorité innée de sa voix — une voix à laquelle tant d'hommes s'empressaient toujours d'obéir — ne bougea pas !

Puis il s'aperçut que les petits bras tremblaient d'épuisement et, sans se donner le temps de trop réfléchir, il la débarrassa de son fardeau.

De grands yeux bleus, tout aussi bleus que ceux de la fillette, le fixèrent soudain avant de se plisser jusqu'à disparaître du minuscule visage. Mais, Dieu merci, au lieu de pleurer, le petit être se nicha contre lui avec un soupir, son pouce potelé dans sa bouche.

— Entre, répéta-t-il, s'efforçant d'insuffler à sa voix, à la place de son habituelle sécheresse toute militaire, de quoi ne pas effrayer davantage la pitoyable créature qui tremblait toujours devant lui.

A son tour, elle fixa sur lui d'immenses yeux qui le dénudèrent jusqu'à l'âme, puis esquissa un petit hochement de tête satisfait. Mais au lieu de franchir le seuil, elle se retourna et fit un vaste geste du bras, geste dont tout soldat était familier.

Soudain les buissons, à quelques mètres de là, s'écartèrent.

Cole manqua en lâcher son précieux fardeau, se demandant s'il n'était pas en plein cauchemar. Un autre bambin de pas plus de trois ans, à l'évidence de sexe féminin à en juger par les ridicules volants de dentelle qui entravaient la progression de ses petites jambes, s'élança en trottinant au travers de la cour jonchée de feuilles et de branches arrachées. Puis les buissons s'écartèrent de nouveau, cette fois sur deux jeunes garçons, d'environ sept et huit ans, aux cheveux bruns, au visage maculé de terre, également en pyjama.

Toute sa vie Cole Standen avait eu à faire face à des épreuves qui forcent tout homme à puiser au fond de lui-même ses ultimes réserves de courage. Il avait sauté d'avions en pleine nuit, essuyé des coups de feu, combattu dans le noir des ennemis invisibles mais si proches qu'il en sentait encore le souffle sur sa joue. Mais alors que ces enfants glacés, trempés et maculés de boue franchissaient à la queue leu leu le seuil de son chalet, et qu'un minuscule petit bout d'humanité s'agitait contre son torse nu, il eut beau fouiller dans sa mémoire de soldat, jamais encore il n'avait connu pire terreur que celle qui le paralysait en cet instant.

1.

— Ma mamie est morte, annonça l'aînée des cinq d'une voix grave.

Mais brusquement elle se mit à pleurer, en silence tout d'abord, les joues striées de grosses larmes muettes ; puis très vite, de déchirants sanglots la secouèrent.

L'instant d'après, les quatre autres l'imitaient. Et c'est une petite troupe pleurnicheuse que Cole, toujours encombré du bébé à présent hurleur et étrangement glissant, escorta vers son salon.

Une fois assise sur le canapé, la fillette tendit les bras, et il y replaça avec soin le petit être au visage violacé, tandis que les autres enfants s'empilaient de part et d'autre dans un enchevêtrement de bras et de jambes, leurs frêles épaules secouées de sanglots, et de curieux hoquets.

Ces hoquets étaient-ils, chez les enfants de cet âge, précurseurs de vomissements ? Ou de crises plus graves ?

Inquiet, Cole se rua sur le téléphone — hors service, naturellement —, raviva le feu, avant de se retourner vers ses visiteurs inattendus, qu'il examina à la clarté jaunâtre de sa lampe à pétrole.

Il comprit aussitôt qu'il était dans les ennuis jusqu'au cou. Non seulement les pitoyables pleurs ne cessaient pas, mais ils paraissaient même augmenter en rythme et en intensité.

Nul doute qu'à ce train-là, ces gosses se rendraient vraiment malades. Il y avait donc urgence. D'autant que la grand-mère, où qu'elle soit, n'était peut-être pas morte mais juste en attente de secours.

— Suffit ! décréta-t-il de sa voix la plus autoritaire.

Il y eut une courte seconde de silence durant laquelle cinq paires d'yeux écarquillés le fixèrent, puis la plus jeune des fillettes se remit à geindre, et tous s'effondrèrent de nouveau.

Cole frappa des mains. Puis des pieds. Puis rugit.

Rien n'y fit.

Il désespérait d'apprendre le moindre petit bout d'histoire, lorsque la providence, à n'en pas douter, lui chuchota à l'oreille ce qu'il lui fallait faire pour les calmer : capituler.

Le soldat en lui protesta avec véhémence. Capituler ? Ce n'était pas dans son vocabulaire ! D'un autre côté, le vacarme qui ne cessait d'enfler allait, sans nul doute, le forcer à un repli stratégique jusqu'à l'autre bout du pays !

Alors, s'armant de courage, il reprit le bébé, découvrit pourquoi ce dernier était devenu inexplicablement glissant — plus précisément, humide —, fit de son mieux pour l'ignorer, et s'installa tant bien que mal entre les enfants sur le canapé. Dieu merci, un silence surpris s'ensuivit tandis que la petite troupe évaluait cette initiative.

— O.K., reprit-il avec moult précautions, dites-moi ce qui est arrivé à votre mamie.

S'éleva alors une complète cacophonie !

— La lumière s'est éteinte tout d'un coup !

— Elle est tombée dans l'escalier !

— Y avait du sang partout !

— Plein de sang ! Et p'têt aussi d'la cervelle !

Petit à petit, Cole assembla les morceaux de l'étourdissant puzzle verbal et comprit brusquement qui étaient les enfants, d'où ils venaient, ce qui s'était passé et ce qu'il avait à faire.

Il s'agissait des enfants de la vedette de cinéma. Au moment de la coupure de courant, leur grand-mère, qui s'en occupait en l'absence de leur mère, sans doute surprise par la brusque obscurité, était tombée dans l'escalier, et les enfants en avaient déduit, à tort espérait Cole, qu'elle était morte.

— Je savais que je devais aller chercher de l'aide, lui expliqua solennellement l'aînée, mais ces deux-là — elle pointa un index accusateur en direction des deux garçons — ils ont dit qu'ils voulaient venir aussi. Et on pouvait pas laisser Kolina toute seule, et le bébé non plus, alors on est tous venus, m'sieur Lermite.

M. Lermite ? A l'évidence, ils le confondaient avec un autre voisin. Mais il jugea préférable, pour l'instant, de ne pas les détromper.

La liste des priorités s'imposa aussitôt à lui. Avant tout, il lui fallait rejoindre au plus vite la grand-mère. Il était possible qu'elle soit encore en vie, mais peut-être plus pour très longtemps si la chute avait été grave, et chaque seconde comptait.

— Comment t'appelles-tu ? demanda-t-il à l'aînée.

— Saffron.

Les autres enfants énoncèrent l'un après l'autre les plus ridicules prénoms qu'il ait jamais entendus ! Le plus âgé des garçons s'appelait Darrance, l'autre Calypso. Calypso !

Quant à la plus petite, elle lui confirma en battant des cils qu'elle était Kolina, et le bébé, l'informa-t-on, était une fille du nom de Lexandra.

L'espace d'un instant, les invraisemblables prénoms tournoyèrent dans la tête de Cole, avant qu'il ne les repousse. Il y avait plus urgent à gérer.

— D'accord, reprit-il, désignant l'aînée du doigt. Toi, tu n'es plus Saffron. Tu es Numéro Un. Et toi Numéro Deux…

Il enchaîna rapidement, les numérotant de la plus âgée à la plus jeune, satisfait de constater qu'au lieu de s'en indigner, c'était exactement ce dont ils avaient besoin dans un moment pareil.

— Maintenant, Numéro Un, je dois aller voir ta grand-mère, et je te nomme chef en mon absence, ce qui fait de toi le commandant en second.

Il avait eu tort d'y mêler un autre chiffre, car les sourcils de l'enfant se froncèrent. Aussi se hâta-t-il de reprendre :

— Numéro Un, veille à ce que tes frères et sœurs restent sagement assis sur ce canapé pendant que je vais jusque chez toi porter secours à ta grand-mère. Personne ne doit bouger d'un pouce, compris ?

Satisfait d'avoir résolu ce problème, Cole réfléchit aux chances que la route soit praticable. Elles étaient minces. Et s'il devait traverser la forêt à pied, il lui faudrait bien dix bonnes minutes pour atteindre le promontoire.

Il s'avisa tout à coup que le protocole militaire n'impressionnait pas le moins du monde Numéro Un, pas plus que sa nomination de commandant en second. L'expression de sa subordonnée avait même de vagues airs de… rébellion lorsqu'elle assena d'un ton catégorique :

— Non !

— Non ? répéta Cole, ébahi.

A l'évidence, Numéro Un ignorait que les ordres d'un supérieur avaient force de loi, parce que s'échappa de ses lèvres un cri strident à en écailler la peinture du plafond, tandis que de fraîches larmes se déversaient de ses yeux à une vitesse alarmante !

— Votre maison, elle est bizarre. J'ai peur et j'veux plus être chef ! J'veux aller avec vous !

Cole ne s'attarda que brièvement sur la stupeur que lui inspirait cette mutinerie de la part d'une si dérisoire petite chose. Il y avait fort à parier que les autres lui emboîteraient le pas, et il n'avait ni le temps, ni la patience, de les convaincre à grand renfort de cajoleries.

Sans plus se préoccuper des enfants, il alla hâtivement remplir un sac à dos d'équipements de premiers secours. Empiler les cinq petits pleurnicheurs dans son 4x4, par contre, lui prit plus de cinq minutes, constat mortifiant pour un homme habitué à déplacer un régiment entier en moins de temps qu'il n'en faut pour le dire. Puis, ces précieuses minutes perdues, il démarra enfin.

Comme il le craignait, un immense pin parasol s'étendait en travers de la route dès le premier virage. D'un geste rageur, il enclencha la marche arrière et rebroussa chemin, adressant au ciel quelques commentaires peu chrétiens.

La petite troupe descendit du 4x4, ravie, semble-t-il, de l'aventure, et retourna dans le chalet.

Cole inspecta l'un après l'autre chaque enfant de la tête aux pieds. Aucun n'était correctement vêtu pour une équipée, même de quelques minutes, le long de la rive rocailleuse et boisée du lac.

Ravalant son impatience, il alla arracher pulls et vestes du placard de l'entrée.

— Enfilez ça ! Et au trot !

Les trois plus grands s'exécutèrent, non sans pouffer discrètement, tandis qu'il emmitouflait la plus petite dans un large pull qui lui allait comme un sac de couchage. Qu'importe, il comptait la porter, de toute façon.

Ayant ensuite ajusté les vêtements des trois grands pour qu'ils ne trébuchent pas dessus en marchant, il se mit en quête de quoi leur recouvrir la tête — partie du corps qu'il savait être sujette à une rapide déperdition de chaleur. Un éclair de pure inspiration l'incita à piller un de ses tiroirs et à les coiffer… d'une épaisse chaussette rabattue jusqu'aux oreilles !

16

Il passa ensuite à l'inspection les cinq adorables petits elfes, puis les fit promptement sortir. Il hissa le plus jeune des garçons sur ses épaules, avant de se faire remettre le Numéro Cinq, le bébé, par le Numéro Un, puis de saisir de l'autre bras le Numéro Quatre, la petite Kolina.

Ainsi transformé en pyramide humaine, il adopta un rythme aussi soutenu que possible, échangeant toutes les cinq à six minutes sur ses épaules le Numéro Trois avec le Numéro Deux de manière à ce qu'aucun ne se fatigue trop. L'aînée, Saffron, fit preuve d'une remarquable endurance.

Ils ne rencontrèrent heureusement aucun obstacle qu'ils ne puissent contourner, bien que le sol soit jonché de branches d'arbres, de pommes et d'aiguilles de pin, lesquelles tournoyaient aussi autour d'eux, emportées par le vent qui hurlait toujours au-dessus de leurs têtes.

Alors que deux minutes auraient suffi en voiture, il leur en fallut un peu plus de trente, ce que Cole estima déjà proche du miracle, d'autant qu'aucun des enfants ne se lamenta, ne pleura ou même ne se plaignit.

Soudain il entendit une faible voix angoissée qui appelait dans la nuit, avant d'apercevoir une silhouette de femme.

— Les enfants ? Où êtes-vous ? Saffron ? Darrance ? Calypso ? Kolina ? Lexandra ? Mon Dieu, où êtes-vous ?

Les enfants s'élancèrent avec de grands cris et, quelques secondes plus tard, retrouvaient leur grand-mère, qui les serra avec tendresse, s'assurant qu'ils étaient tous indemnes.

Puis Cole conduisit sa troupe à l'intérieur de la villa plongée dans l'obscurité la plus totale. A la clarté de la torche, néanmoins, il eut le temps de constater que les cheveux de la vieille femme — qu'il baptisa secrètement Numéro Six — étaient poisseux de sang, et que son visage en était également maculé.

— C'est M. Lermite, lui expliqua Saffron. J'suis allée le chercher parce que j'te croyais morte.

— Mes pauvres petits ! Je ne saurai jamais assez vous remercier pour être venu à mon secours, monsieur Lermite.

Peu importait à Cole qu'elle l'appelle M. Lermite ou Père Noël. Il tenait avant tout à évaluer le plus rapidement possible la gravité de sa blessure.

L'intérieur de la demeure, apparemment chauffée à l'électricité, était glacial, aussi rassembla-t-il ses ouailles dans ce qu'il devina être la pièce à vivre, immense, dont les baies panoramiques donnaient sur le lac. A la clarté diffuse de la lune, il constata que le sol était de marbre, recouvert d'épais tapis persans, que deux longs canapés de cuir faisaient face aux baies vitrées et que, dans le mur nord, Dieu soit loué, était creusée, du sol au plafond, une immense cheminée de pierre.

Il équipa chaque enfant d'une minitorche afin de les aider à se repérer dans le noir et leur attribua une tâche à leur mesure : dénicher du tissu propre pour les pansements. Puis il entreprit d'examiner la vieille femme. Quoique encore un peu étourdie, elle paraissait lucide, se souvenait de son âge, de la date et même des invraisemblables prénoms de ses cinq petits-enfants, et n'avait été victime, pour autant qu'elle sache, ni de vomissements ni de convulsions.

Néanmoins, le seul fait qu'elle ait perdu connaissance impliquait un certain caractère de gravité. Or les routes étaient impraticables, et le téléphone hors service. Heureusement, gérer les urgences lui était aussi naturel que de respirer.

Saffron lui apporta des draps, en espèce de percale lui sembla-t-il, tissu qu'il savait être très onéreux, mais qu'il n'hésita pas un seul instant à déchirer en bandes, à la plus grande joie des enfants. Puis il envoya les Numéros Deux, Trois et Quatre en quête de bois, installa la grand-mère sur le canapé, alluma un feu puis, avec l'aide de Saffron, entreprit de descendre les matelas des chambres de l'étage.

18

— Ça, c'est la chambre des garçons, lui indiqua-t-elle lorsqu'ils pénétrèrent dans la première, véritable jungle amazonienne, avec gorilles en peluche suspendus à de vrais faux palmiers en plastique.

Celle de Saffron rendait hommage à un personnage de bande dessinée aux membres grêles et à l'immense bouche — Brittany, Tiffany ou quelque chose du genre, lui semblait-il se souvenir. Celle de Kolina était résolument « dalmatienne », avec des traces de pattes noires et blanches du sol jusqu'au plafond, sur les tapis, l'édredon, les oreillers, et les tiroirs de la commode. Quant à celle de la petite Lexandra, c'était un écœurement de dentelle blanche, autour, en dessous et au-dessus du berceau, et partout autour des fenêtres.

Et dire que ces gosses jugeaient son chalet bizarre !

Secouant la tête, il se mit à descendre les deux premiers matelas le long de l'escalier. Escalier en marbre, et courbe ! Comment s'étonner que la pauvre vieille soit tombée ?

Il étendit les matelas dans le salon, persuada sans trop de peine ses soldats d'opérette d'y empiler oreillers et couvertures. Une dernière urgence à gérer, et tous pourraient se mettre au lit.

Numéro Cinq avait besoin d'être changée, et vite !

— Il ne reste que deux ou trois couches, l'informa faiblement la grand-mère. La gouvernante va en ramener avec les provisions demain matin.

Certainement pas demain, se garda bien de l'inquiéter Cole, qui prit mentalement note de rechercher, dès que possible, de quoi remplacer lesdites couches.

Celle de Numéro Cinq était répugnante. A tel point qu'il dut, avant de s'y attaquer, se protéger le nez à l'aide d'un des larges morceaux de gaze triangulaire de sa trousse de premiers secours.

Son masque de fortune, qui cachait mal son air dégoûté, ajouté à ses maladroits efforts avec la couche, provoqua une véritable crise de fou rire chez les autres petits diables.

— Ceci est un Code Kaki, leur annonça-t-il entre deux haut-le-cœur. L'autre, ce serait un Code Jaune.

— Caca, Code Kaki, traduisit son commandant en second. Pipi, Code Jaune.

Sur quoi les éclats de rire redoublèrent, tandis que Cole se demandait lequel des quatre garnements il enfermerait en premier dans un placard de l'étage.

La couche remplacée tant bien que mal, et la petite apaisée par un biberon d'eau sucrée, il assigna à chacun son lit de camp, puis ordonna le couvre-feu. Tous prirent d'assez bonne grâce son refus de céder à leur requête d'histoire, de barres choco- latées et d'ours en peluche, mais il ne put échapper au baiser de bonne nuit, devoir dont il s'acquitta avec une maladresse dont aucun ne parut s'offusquer. Puis, la tête à peine posée sur l'oreiller, les enfants, exténués, s'endormirent.

La grand-mère ne tarda pas à les imiter, et Cole programma l'alarme de sa montre afin d'examiner ses pupilles toutes les deux heures. Puis, à bout de forces lui aussi, il alimenta le feu, déplia son sac de couchage et s'écroula sur l'un des deux canapés en poussant un soupir qui se passait de commentaires.

Il s'éveilla face au petit visage de Kolina qui, la main sur sa poitrine, le nez à deux centimètres du sien, l'exhortait apparemment en silence à se réveiller.

— Moi, Kolina, annonça-t-elle de sa petite voix flûtée dès qu'il ouvrit un œil.

— Numéro Quatre, rectifia-t-il. Retourne te coucher.

— Lexandra sent mauvais. Code Gagi, t'as dit !

Ça, son propre odorat venait de l'en informer. Et ce fut ainsi que sa journée débuta, avec un bébé qui sentait mauvais et l'effarante découverte qu'à ce rythme-là, il ne disposait que de deux heures de réserve de couches !

Et Cole traversa alors l'épreuve la plus difficile de toute sa vie de militaire, jusqu'à ce que Numéro Sept fasse son entrée, moins de vingt-quatre heures après le début du siège.

2.

— Il faut vraiment être dingue pour avoir autant d'enfants !

La voix était rocailleuse et profonde, et, à la vue de l'homme qui l'observait du seuil de la demeure de son employeur, Brooke Callan sentit son cœur s'emballer dangereusement.

Car l'inconnu était superbe et, pour avoir passé les cinq dernières années à Hollywood en tant qu'assistante personnelle de l'actrice Shauna Carrier, elle était devenue experte en ce qui concernait les hommes.

Et la noirceur de leur cœur.

Et son expérience lui soufflait que cet homme-là devait l'avoir particulièrement noir, le cœur.

D'une taille d'au moins un mètre quatre-vingt-dix, avec des airs de pirate, il avait l'allure un rien débraillée du mâle certain de son charme au point de ne pas se préoccuper de son apparence : chemise en denim aux pans ouverts et flottants, sur un T-shirt blanc moulant des pectoraux impeccables, un large et puissant torse, un ventre plat aux abdominaux tout aussi plats. Son jean, usé aux deux genoux, était si souple d'avoir été trop lavé qu'il en adhérait presque aux muscles ciselés de ses cuisses. Une barbe naissante assombrissait ses joues parfaitement planes et un menton fendu d'une fossette, et ses cheveux, très bruns et épais, se hérissaient en tous sens,

22

ce qui ne faisait que souligner l'attrait farouche et presque brutal qu'il devait exercer sur le sexe opposé.

En puissant contraste avec la couleur de ses cheveux et son teint mat, ses yeux étaient d'un éclatant bleu saphir, son regard d'une autorité que Brooke n'avait jamais vue à aucun acteur, quel que soit le mal qu'il se donne pour paraître menaçant.

D'ailleurs, l'homme qui se tenait devant elle dégageait une aura qu'aucun acteur n'aurait pu imiter. Dans ce regard rôdaient aussi des ombres étranges, et quelque chose dans l'inflexibilité de ses traits l'avertissait qu'il était familier du danger.

Non, tout ce qu'exprimait cet homme, c'était puissance et autorité. Il n'y avait qu'un détail, un seul, qui évitait à cet étalage de force typiquement masculine d'être carrément menaçant : la petite Lexandra, calée sous son bras tel un ballon de football, son petit derrière revêtu d'une sorte d'étoffe froissée, ses jambes roses et potelées fouettant gaiement l'air.

Tandis qu'au creux de l'autre était nichée la petite Kolina, la tête appuyée sans crainte contre le large torse, le pouce dans la bouche. Le visage sale, mais en dehors de cela, l'image même de la béatitude. Et c'est d'ailleurs avec un radieux sourire, calque parfait de celui de sa célèbre mère, qu'elle lui lança :

— Gou-gou, dadie Bwooke.

— Coucou, ma chérie, répondit Brooke d'une voix qu'elle espérait calme.

Qui était cet inconnu menaçant ? Que faisait-il là, l'air si à l'aise dans la maison de Shauna, et avec ses enfants, alors que cette dernière se trouvait en tournage en Californie ?

Elle ne l'avait jamais rencontré, elle en était certaine ; elle s'en serait souvenue ! Ce n'était donc pas une connaissance de Shauna. Etait-ce un criminel ? Un kidnappeur ? Un fan obsessionnel et dangereux qui aurait, on ne sait comment, découvert cet endroit inconnu de tous ?

Seigneur, combien de fois n'avait-elle pas répété à Shauna qu'il lui fallait davantage de personnel ! Des gardes du corps à plein temps, et pas seulement la gouvernante et la nourrice qui venaient dans la journée aider sa mère. Hélas Shauna insistait pour que ses enfants soient élevés normalement, sans l'omniprésence d'une nourrice à plein temps ou de gardes armés jusqu'aux dents.

Mais la question n'était plus là, et Brooke s'efforça de prendre une profonde inspiration pour tenter de refouler ses craintes et puiser en elle un minimum d'autorité. Effort futile face au regard inébranlable qui la fixait avec une troublante intensité, alors qu'elle devait avoir l'air d'une épave, avec ses vêtements froissés et trempés, un escarpin sans talon et ses cheveux emmêlés après ce trajet cauchemardesque jusqu'ici. Pourtant, il lui fallait se comporter avec dignité et courage : la vie des cinq enfants en dépendait peut-être !

— Que faites-vous chez Shauna Carrier ?

— Qui est Shauna Carrier ? questionna en retour l'homme, mais sans intérêt évident.

Surprise, Brooke le scruta, en quête du moindre signe d'hypocrisie. Tout homme de ce côté-ci de la planète, voire au-delà, savait qui était Shauna Carrier !

Du moins tous ceux qu'elle avait eu la malchance de fréquenter.

Elle jugea l'homme qui se trouvait devant elle capable de bien des choses, et pas des plus nobles, mais pas d'hypocrisie. Rien dans l'implacabilité de ses traits n'indiquait qu'il puisse mentir. Aussi précisa-t-elle :

— Shauna Carrier est la propriétaire de la maison que vous occupez. Et la mère des enfants que vous tenez.

— Eh bien, voilà qui explique qui peut être assez dingue pour en avoir cinq ! rétorqua l'homme. C'est bien une starlette ou quelque chose comme ça, n'est-ce pas ?

— Pas une starlette : une actrice, rectifia Brooke, bien que le moment soit mal choisi pour un débat sémantique.

— Peu importe.

Son manque d'intérêt n'était nullement feint, mais ne l'en rendait pas plus sympathique pour autant, s'avisa soudain Brooke. Lentement, elle ouvrit son sac dans l'intention de se saisir de la bombe lacrymogène qu'elle y cachait.

— Et vous, qui êtes-vous ? demanda-t-elle d'une voix mal assurée.

Dire que, tout au long de cet éprouvant trajet, elle n'avait cessé de maudire Shauna pour ses craintes toujours imaginaires en ce qui concernait sa progéniture ! La ligne ne répondait plus à Heartbreak Bay ! lui avait-elle annoncé, au bord des larmes.

L'actrice avait eu le coup de foudre pour cette région sauvage du Canada, l'endroit parfait, selon elle, pour élever ses enfants loin de Los Angeles et du harcèlement de la presse. Le choix était sensé et raisonnable. Mais, de l'avis de Brooke, Shauna aurait dû savoir que ce serait au prix d'inconvénients mineurs tels que ours, moustiques et coupures éventuelles de courant et de téléphone. Même les portables ne fonctionnaient pas dans l'ombre des pics qui s'élevaient à des hauteurs vertigineuses.

La veille, après avoir ameuté tous les services météo, Brooke avait appris que la coupure de la ligne était due à une violente tempête. Mais Shauna avait, disait-elle, un *pressentiment*.

Brooke avait en horreur ledit pressentiment, que Shauna avait aussi eu à l'égard de tous les hommes avec lesquels Brooke était sortie depuis qu'elle était à son service. Parce qu'à chaque fois, il s'était révélé douloureusement exact.

Si bien qu'elle s'était retrouvée en route pour le Canada. Et, comme toujours, le voyage avait été interminable, avec pour ultime affront un immense tronc en travers de la route, à quelques kilomètres à peine de la propriété.

— Ça va nous prendre un certain temps de le dégager, m'dame, l'avait informée un ouvrier de la voirie. Feriez mieux de prendre une chambre à Creston et de réessayer d'ici un à deux jours. Ou si vous êtes en chemin pour Nelson, vous pouvez passer de l'autre côté.

Eh non, elle n'était pas en chemin pour Nelson, et n'avait pas non plus l'intention d'être retardée à ce stade du voyage par un malheureux tronc d'arbre ! Si elle était encore aujourd'hui l'assistante personnelle d'une actrice aussi célèbre et caractérielle que Shauna Carrier, ce n'était certainement pas par manque de détermination !

Voilà pourquoi elle était là, un talon d'escarpin brisé, ses bas déchirés par les branches du tronc qu'elle s'était résignée à escalader, son tailleur de soie gris perle maculé de boue, les cheveux dans les yeux, et trempée de sueur après la pénible ascension du promontoire.

Et, pour couronner le tout, face à un mystérieux inconnu qu'elle pressentait comme un ennemi. D'un autre côté, ces derniers temps, elle se sentait elle-même ennemie de tous les représentants de l'espèce masculine, infidèles pourceaux qu'ils étaient ! Et plus ils étaient beaux, moins elle était disposée à l'indulgence ! C'était même, à ses yeux, un facteur aggravant !

Détestait-elle celui-là par principe ou y avait-il un réel danger ? Aussi terrifiant que ce soit, le pressentiment de Shauna était peut-être fondé, cette fois encore. Un superbe inconnu au regard bleu glacial et aux airs de guerrier des temps anciens n'était-il pas dans sa maison, deux de ses enfants emprisonnés dans ses bras puissants ? Tout cela n'avait rien de bien rassurant.

Brooke s'efforça de ne pas laisser ses craintes transparaître sur son visage. Cet homme aux traits farouches retenait-il Molly et les enfants en otages ? Même s'il ignorait qui était

Shauna, la villa à elle seule indiquait que le propriétaire avait de l'argent.

— Qui êtes-vous ? questionna-t-elle de nouveau, d'une voix plus ferme à présent que sa main glissait discrètement dans son sac en quête de son arme défensive.

— Et vous, qui êtes-vous ? renvoya-t-il sèchement, avant que son regard ne dévie une brève seconde en direction du sac de Brooke. Nous attendons la gouvernante.

Nous attendons la gouvernante ? s'exaspéra intérieurement Brooke. Comme s'il était ici chez lui !

— Dadie Bwooke, annonça alors Kolina à l'homme en guise de présentation.

Suite à quoi Brooke précisa :

— Je suis Brooke Callan, l'assistante personnelle de Shauna Carrier. Et je veux savoir ce que vous faites chez elle. Où est Molly, la grand-mère des enfants ?

Elle sut aussitôt qu'elle avait eu tort de ne pas se montrer plus courtoise, car elle n'apprécia nullement l'expression que l'homme prit, ni la crispation de sa mâchoire, ni le rétrécissement soudain de ses yeux.

Elle trouva la bombe lacrymogène et referma les doigts dessus.

C'est alors qu'avant qu'elle ait eu le temps de dire ouf, l'homme reposa Kolina à terre et saisit la main que la jeune femme plongeait à demi dans le sac, d'une poigne implacable, quoique non douloureuse.

— Mais lâchez-moi ! protesta-t-elle, prise cette fois d'un réel accès de panique.

Cet homme avait à l'évidence une force bien supérieure à la sienne. S'il retenait les enfants et Molly, pensait-elle donc qu'il allait le lui avouer et la laisser repartir ?

Bien sûr que non ! Il allait la kidnapper, elle aussi !

— Lâchez d'abord ce que vous tenez là-dedans, quoi que ce soit, exigea-t-il avec un sang-froid qui apaisa quelque peu sa panique.

Les doigts de la jeune femme desserrèrent leur prise, et l'homme relâcha aussitôt son poignet.

— A présent, mettez votre main là où je peux la voir.

Elle la laissa retomber, le poignet encore brûlant de l'étau de sa paume, troublée par l'impression de puissance et de chaleur qui irradiait à présent dans tout son corps.

— Pour qui vous prenez-vous ? ragea-t-elle d'une voix mal assurée, en jetant un coup d'œil à Kolina qui, inconsciente du danger, les bras enroulés autour des jambes musclées, l'observait de derrière les genoux de l'inconnu.

— Qu'avez-vous là-dedans ? Une arme ? lâcha-t-il en lui jetant un regard noir.

— Ce que contient mon sac ne vous regarde pas !

— Nous ne sommes pas à Los Angeles ! Vous n'auriez tout de même pas osé sortir un de ces trucs-là alors que j'avais deux bébés dans les bras ? s'insurgea-t-il, tandis que Kolina protestait, tiraillant sur son jean :

— Kolina pas bébé !

Qu'il paraisse s'inquiéter du bien-être des enfants rassura quelque peu Brooke, qui rétorqua néanmoins :

— Comment savez-vous d'où je viens ?

— Vous venez de me dire que vous travaillez pour la starlette, lui rappela-t-il. Et nous n'avons pas, que je sache, de studio de cinéma ici à Creston, Colombie-Britannique. De plus, si l'équipe de la voirie est encore à la même place qu'hier, vous devez avoir marché à peine trois kilomètres, alors que vous avez l'air d'avoir survécu à un trekking de deux ans en pleine jungle amazonienne ! Nos femmes, au Canada, sont un peu plus coriaces !

Puis le regard saphir dévia sur ses bas déchirés, dont le Nylon flottait au vent, et elle éprouva, dans le creux de l'estomac, une drôle de sensation, étrange, mais pas tout à fait inconnue ; sa pire ennemie : l'attirance pour l'autre sexe !

Et Brooke se rendit compte, avec un certain malaise, que même si cet homme était un criminel notoire, elle brûlait du désir purement féminin… de se retrouver dans ses bras.

La trouvait-il attirante ? Si c'était le cas, peut-être la balance pencherait-elle un peu de son côté, au cas où…

Et puis, pour être franche, elle appréciait d'être, au moins brièvement, l'objet de l'attention des hommes avant que ces derniers ne découvrent qui l'employait, ou que Shauna n'apparaisse en personne. Quoique raisonnablement attirante, elle ne pouvait rivaliser avec l'époustouflante beauté de sa patronne et ne s'y essayait d'ailleurs plus depuis longtemps.

Cela dit, l'inconnu paraissait indifférent à son charme, et continua d'un ton égal :

— Et votre couleur de cheveux n'est pas naturelle, alors que votre bronzage, si.

— Parce que les Canadiennes ne se teignent pas les cheveux, peut-être ? rétorqua-t-elle aigrement.

— Elles n'ont pas cet air mondain. Vous si, précisa-t-il, ce qui n'avait nullement l'air d'être un compliment.

— Vous en savez des choses en un seul coup d'œil ! répliqua-t-elle sèchement, irritée d'avoir été jugée si arbitrairement superficielle et déplacée, et par un éventuel criminel, de surcroît !

« L'éventuel criminel » poursuivit de la même voix neutre, sans se préoccuper de sa repartie :

— Ne touchez jamais à une arme à moins que vous ne soyez prête à vous en servir. Et vous savez quoi ? Je peux dire rien qu'à vous voir que vous n'en êtes pas capable.

Brooke sentit la moutarde lui monter au nez. Comment pouvait-il juger, en l'espace d'à peine trente secondes, de ce dont elle était ou non capable de faire ?

— Il se trouve que si, figurez-vous ! s'insurgea-t-elle sottement, avant de s'aviser que c'était d'une prétention plutôt pathétique.

Parviendrait-elle à le neutraliser ? Elle avait vu à quel point ses réflexes étaient prompts. Sans doute lui arracherait-il sa bombe avant même qu'elle ait eu le temps de trouver où appuyer ! Et s'il la retournait ensuite contre elle ?

A cette seule pensée, elle se sentit pâlir. Elle croisa le pénétrant regard, et eut la déconcertante impression qu'il lisait dans ses pensées. L'espace d'une fraction de seconde, une brève étincelle d'humour s'alluma dans ses yeux, ce qui lui donna l'air encore plus dangereux. Et plus sexy ! s'exaspéra-t-elle, trahie par un involontaire élan de son cœur.

Elle s'imagina aussitôt Shauna la raillant de sa suave voix du Sud, les yeux au plafond : « Brooke, ma chérie, tu as le chic pour les dénicher ! »

— Ce n'est pas une arme, de toute façon, se défendit-elle. C'est une bombe lacrymogène. Et Lexandra n'aurait pas été blessée si je m'en étais servie parce que j'aurais visé, figurez-vous !

— Et pour quelle raison exactement pensiez-vous avoir besoin de vous défendre ? s'étonna-t-il.

— Mais enfin, j'ignore qui vous êtes ! s'énerva Brooke. Ou même ce que vous faites chez mon employeur avec un de ses enfants sous chaque bras ! Sans compter que vous n'êtes pas particulièrement accueillant !

— Ah. Et arrivée tout droit d'Hollywood, vous vous êtes figuré qu'il y avait anguille sous roche ? commenta-t-il d'une voix nuancée de sarcasme, et de ce fait encore plus sexy. Laissez-moi deviner : votre patronne joue dans un thriller, et de là à imaginer que j'ai pris ses enfants et leur grand-mère en otage, il n'y a qu'un pas, n'est-ce pas ?

Etre aussi transparente déplut souverainement à Brooke, d'autant que Shauna tournait bel et bien le genre de film en question.

— Est-ce le cas ? interrogea-t-elle d'une voix pincée.

Il esquissa un petit sourire de dérision.

— Un peu trop simple, comme scénario, vous ne trouvez pas ?

— Vous ne répondez donc jamais aux questions ? Ne louvoyez pas, c'est une caractéristique que je ne supporte pas chez les hommes !

Il la considéra attentivement un instant.

— Il me semble entendre l'amertume de l'expérience.

— Certainement pas ! mentit-elle en sentant ses joues s'empourprer.

Il soupira et clôtura le sujet d'un bref mouvement de tête.

— Pour en revenir à votre question, c'est tout le contraire : je n'ai pas pris tout ce petit monde en otage, ce sont eux qui l'ont fait. Croyez-moi, c'est exténuant de jouer au héros. Et dire que j'ai failli être aspergé de gaz lacrymogène en remerciement de ma peine !

Un héros ? Il ne manquait plus que ça !

— N'exagérez pas. Je n'en aurais fait usage que si vous m'aviez vous-même menacée.

— Je n'en crois rien ! Avec ce pulvérisateur en main, vous vous en seriez donné à cœur joie.

Puis, comme elle ne daignait pas répondre, il reprit sèchement :

— Le gaz lacrymogène est d'ailleurs illégal au Canada. Si vous aviez été fouillée à la frontière, l'entrée vous aurait été refusée. Et cela aurait été plus que regrettable pour moi, dans

31

la mesure où je présume que vous êtes les renforts attendus, Dadie Bwooke.

— Brooke Callan, corrigea-t-elle, hautaine.

Mais elle nota le terme « renforts », et le soulagement l'envahit. Qui que soit le mystérieux inconnu, il ne serait pas heureux de la voir s'il manigançait quelque chose, quoique « heureux » ne soit pas tout à fait le terme exact.

Tout à coup, il baissa les yeux sur Lexandra, et une étrange expression passa sur son visage. Il se pencha, décrocha les petits doigts de Kolina de son genou, reprit cette dernière au creux de son autre bras, puis replongea sans un mot dans l'intérieur obscur de la demeure.

Laissée sur le seuil, Brooke n'eut d'autre choix que de le suivre, non sans remettre sa main dans son sac pour effleurer délibérément la bombe, par pure bravade.

— N'y pensez même pas, l'avertit-il alors sans même jeter un regard en arrière.

Elle ôta donc pour la deuxième fois la main de son sac, sans trop savoir ce qui, dans cette voix, rendait inconcevable l'idée même de lui désobéir.

3.

Non seulement le bras de Cole était trempé, mais la superbe — et exaspérante — Brooke Callan avait encore dans l'idée de l'asperger de gaz lacrymogène !

Il imagina sans peine le dépit de la jeune femme d'avoir, une nouvelle fois, été démasquée, et cette pensée le fit sourire. Après une carrière entière à évaluer des situations en terme de vie ou de mort, il se targuait de savoir décoder les gens. Or, Brooke Callan était encore prête à tout, et sans doute était-ce malavisé de lui tourner le dos, même si elle devait peser à peine plus de cinquante kilos et encore, toute mouillée.

Pour être franc, il restait lui aussi sur la défensive. Car la bombe lacrymogène contenue dans son sac n'était pas la principale menace en Brooke Callan. Pas plus que cette attitude ombrageuse et hostile qu'il reconnaissait comme le masque de la peur.

Non, la menace venait de ses yeux, immenses, de la teinte mauve des pensées. Les yeux d'une femme qui avait été meurtrie et redoutait plus que tout de l'être de nouveau.

Mais il savait qu'il ne lui ferait aucun mal, même malgré lui, tout simplement parce qu'il ne s'autoriserait pas à s'approcher assez près pour l'atteindre. Mieux encore, il veillerait à ce que les piquants de cette femme-là — lesquels auraient fait honneur à un porc-épic ! — restent bien en place.

Et ce, aussi attrayant que soit l'ensemble, en dépit ou plutôt à cause de l'escarpin au talon manquant, des bas entortillés autour des jambes fuselées, des cheveux bruns emmêlés, des vêtements froissés et humides qui adhéraient à une silhouette frêle mais gracieuse, aux courbes généreuses là où il le fallait. En plus de quoi, et malgré les traînées de maquillage ici et là, et son expression hargneuse, le visage était exquis, avec de hautes pommettes, un petit nez retroussé et des lèvres pleines et sensuelles.

Mais tout en elle évoquait la demoiselle en détresse, et Cole aurait cru qu'après les vingt dernières heures passées à réconforter son petit monde pour le moins agité, la seule vue d'un nouveau cas désespéré le hérisserait. Mais c'est avec un calme parfait qu'il fit le bilan de la situation : il était à présent en charge de trois demoiselles en détresse, d'une vieille dame en pré-commotion, de deux adorables voyous et d'un charmant bébé qui cessait de l'être à la seconde où il essayait de le poser quelque part. Car, même endormie, Numéro Cinq s'arrachait du sommeil pour protester à pleins poumons. Si bien que Numéro Cinq nichait à plein temps au creux de son bras.

Et dire qu'officiellement, il n'exerçait plus dans le domaine des sauvetages à hauts risques, domaine où il avait accompli son devoir dans certaines des parties les plus sordides, les plus dangereuses et les plus anéanties du monde ! Et sans la moindre égratignure.

A trente-huit ans, major dans l'armée de l'air canadienne, Cole Standen était fatigué, ayant tout sacrifié à sa carrière, y compris son âme. A trente-huit ans, il n'avait, contrairement aux hommes de son âge, ni femme ni enfants ; mais à bien y réfléchir, il s'en réjouissait !

Ses sentiments, par nécessité, étaient de pierre depuis longtemps déjà, et il avait toujours vécu au sein de l'arène disciplinée mais sans pitié des soldats. Ses compétences incluaient l'art de démonter, nettoyer et remonter un fusil d'assaut en quelques minutes, de sauter en pleine nuit d'un avion sans se blesser ni blesser autrui, et de prendre en charge des individus ou des populations dans des situations qu'il s'était efforcé d'oublier le plus rapidement possible.

Aucune de ces aptitudes, susceptibles de lui sauver la vie dans son univers, n'avait la moindre utilité en ce qui concernait ses relations avec des personnes appartenant au monde civil, et avec les femmes en particulier.

Les femmes, malheureusement, ne paraissaient pas le comprendre, et ne cessaient de semer la tentation en travers de son chemin, toujours bien déterminées à voir en lui un sentimental qui s'ignore au lieu de ce qu'il était réellement : un homme solitaire et taciturne, pragmatique et rationnel, c'est-à-dire totalement inadapté aux méandres de l'âme féminine.

Non, vraiment, le major Cole Standen était exactement là où il devait être : seul au milieu de nulle part.

Sa vie, jusqu'à il y a un peu moins de vingt-quatre heures, était aussi parfaite que possible. Aucune guerre ne l'appelait, aucune vie ne dépendait de lui. Donc, il pêchait. Savourait le soir un plateau-télé devant un programme câblé. Parfois, il partait en randonnée sur les sentiers familiers de sa jeunesse, dans les montagnes, derrière chez lui. Son réfrigérateur ne manquait jamais de sodas, de plats cuisinés et de steaks à griller au barbecue, et pour le petit déjeuner, il se goinfrait de pop-corn sauté au micro-ondes si ça lui chantait ! Quant à ses cheveux, pour la première fois de sa vie, ils étaient si longs qu'ils effleuraient ses cols de chemise.

En résumé, il était ce que tout homme rêvait d'être : un homme libre !

Puis une petite fille en larmes était apparue sur le seuil de sa maison en plein milieu de la nuit. Et bien qu'il soit expert en gestion de crise, son petit monde était sorti de son axe à l'instant même où il avait ouvert sa porte.

Et voilà qu'à présent il tanguait carrément, son petit monde bétonné, car Brooke Callan paraissait être l'ultime stade dans l'affolant effilochage de l'existence parfaitement sous contrôle du major à la retraite Cole Standen. Et cela n'avait rien à voir avec sa bombe lacrymogène. Il espérait toutefois ne pas avoir à la lui arracher des mains. Parce que les formes de Brooke Callan, sous l'étoffe trempée, étaient délicieuses, et s'ils en venaient au corps à corps, il n'était pas très sûr de maîtriser parfaitement ses mains... Preuve qu'il devait jouer l'ermite des montagnes depuis un peu trop longtemps !

Preuve aussi qu'il devenait urgent de détourner ses pensées de Numéro Sept, de sa silhouette et de sa vulnérabilité.

— Numéro Un, appela-t-il à haute voix. Numéro Un ! Nous avons un Code Jaune !

L'appel fut immédiatement suivi par des piétinements à l'étage — un troupeau entier, semblait-il —, et l'apparition de Saffron, des torchons plein les bras.

— Tatie Brooke ! s'écria-t-elle avant de lâcher les torchons, et de dévaler l'escalier pour s'élancer dans les bras de la jeune femme. Ce n'est pas vraiment ma tante, c'est un titre ho-no-ri-fi-que, dit maman, expliqua-t-elle à Cole qui, manifestement, s'en moquait éperdument.

— Dont je suis très honorée, ajouta Brooke, qui questionna la fillette à mi-voix : est-ce que tu vas bien, Saffron ? Est-ce que tout va bien, ici ?

— Bien sûr, tout va très bien, mais ça a été *aaaffreux* ! répondit avec emphase Saffron, à l'évidence dotée d'un don plutôt précoce pour la dramatisation, hérité de sa mère, sans aucun doute. Mamie est tombée dans l'escalier. Il y avait du sang absolument partout, et elle bougeait plus du tout. Pas même d'un cil. Et pourtant, je l'ai secouée. Et c'était comme si je secouais une poupée de chiffon !

— Moi j'ai glissé sur le sang, et j'crois qu'y'avait d'la cervelle sur les marches, aussi ! renchérit Darrance.

Cole remarqua que la jeune femme pâlissait légèrement, et il coupa fermement :

— Numéro Deux, je te rappelle que nous avons un Code Jaune.

— Un Jaune, ouf ! confia le garçonnet à Brooke. Parce que j'ai fichtrement horreur des Kaki !

— Et moi donc ! renchérit Cole entre ses dents.

— Darrance, on ne dit pas « fichtrement » à ton âge, reprocha Brooke en pinçant les lèvres en une ligne austère qu'aucun homme de bon sens n'aurait eu l'envie d'embrasser.

Bien qu'un homme qui avait indubitablement passé trop de temps seul au bord d'un lac perdu au pied des montagnes puisse encore, à bien y regarder, y déceler un rien de sensualité boudeuse !

— M'sieur Lermite le dit tout l'temps ! protesta le garçon. Et aussi « fou…

— Code Jaune ! répéta sèchement Cole à ses troupes.

A sa grande satisfaction, Saffron remonta à toute vitesse l'escalier, et rassembla les torchons abandonnés sur le palier tandis que Brooke, bras croisés sur la poitrine, se mettait à taper du pied comme une institutrice en colère.

— Les enfants jurent. Et pourquoi donc les appelez-vous par des numéros ?

— Parce que je n'ai jamais entendu d'aussi ridicules et imprononçables prénoms de ma vie, rétorqua posément Cole, non sans tapoter d'un air absent la tête de la petite Kolina, toujours vêtue de ses frous-frous. Tiens, celui de celle-là, par exemple, ça vient de quoi, « côlon » ? Qui ferait cela à un gosse ?

— Vous allez la vexer, reprocha la jeune femme à voix basse. Et sachez que c'était celui du personnage que jouait sa mère dans *Le Naufrage de la Suzanne*. « Kolina » est un très joli prénom, assura-t-elle ensuite à la fillette qui ne devait pas avoir la moindre idée de ce dont ils parlaient, avant de préciser d'un ton hautain : c'est la version suédoise de « Katharine ».

— Oui, et alors, qu'est-ce qui clochait avec la version anglaise ?

La jeune femme tapa du pied, une, deux, trois fois. Décidément, provoquer Brooke Callan lui plaisait au plus haut point !

Saffron redescendit l'escalier. Elle au moins ne se formalisait pas d'être appelée par un numéro. Probablement parce que la pauvre gamine haïssait son prénom à force d'être raillée à l'école !

— Un Code Jaune est un changement de couche, annonça-t-elle d'un air important à Brooke, avant d'ajouter en chuchotant, d'un air confidentiel, cette fois : pipi. Et Code Kaki, c'est du caca. Seulement, on n'a plus de couches, alors à la place, on prend des torchons.

Brooke baissa les yeux sur les torchons en question, effarée.

— Ceux de la Maison de Brian ?

Cole la fixa d'un regard peu amène, la défiant d'expliciter sa pensée. Ce qu'elle fit tout de même, bien entendu.

— Ils valent une fortune ! Regardez, ils sont en cotonnade gaufrée. Il faut des mois pour les obtenir ! Des années, même, si vous n'êtes pas Shauna Carrier ! Mais enfin, vous auriez sûrement pu trouver moins coûteux en guise de couches !

— Au prix de certains désagréments, j'ai jugé utile de ne pas laisser une pauvre grand-mère se vider de son sang, et cinq enfants se débrouiller seuls ! assena-t-il sans la moindre vergogne. Acceptez mes plus humbles excuses si mes méthodes ou mon service d'hygiène ne sont pas à votre goût, madame Callan.

— Mademoiselle, corrigea-t-elle distraitement. Je suis navrée. Je ne voulais pas donner l'impression que je ne vous en suis pas reconnaissante, mais…

— Parfait, coupa-t-il promptement, sachant d'expérience qu'un « mais » contredisait presque toujours ce qui venait d'être dit. Je suppose donc que vous allez être enchantée d'apprendre ce que nous avons fait des draps.

— Ce que vous… Les draps ? Vous n'utilisez tout de même pas les draps de la Maison de Brian comme couches aussi ? Ils sont en coton égyptien ! Sept cents fils à la trame !

Il n'y croyait pas ! Elle avait pourtant l'air à peu près sensée. Se mettait-elle vraiment dans tous ses états pour des draps ? Il la taquina un tout petit peu plus, par pure perversité.

— Non, bien sûr, ils ne servent pas comme couches…

Il attendit qu'une lueur de soulagement passe dans ses yeux, puis précisa :

— Ils ne sont pas assez absorbants, de toute façon. Non, nous les utilisons comme bandages. Après les avoir déchirés en belles bandes de tissu. Bien droites, évidemment.

— Déchirés ? Vous me faites marcher ! C'est une blague ?

— Au cas où vous ne l'auriez pas encore compris, *mademoiselle*, ironisa-t-il, la situation actuelle laisse assez peu de place à la plaisanterie. Et, puisque vous désapprouvez tant mon choix de matériel, je crois que l'affectation parfaite pour vous, cher Numéro Sept, sera le service d'hygiène, autrement dit, les couches à changer. Si vous dénichez ici plus adéquat que ces torchons, ne vous en privez surtout pas.

Une myriade d'émotions en tout genre, qu'il jugea plus prudent de ne pas interpréter, défila dans les étonnantes profondeurs mauves. Des années s'écouleraient sans doute avant qu'elle puisse lui pardonner toutes les offenses : les torchons, les draps, et le « Numéro Sept » en plus de l'affectation au service d'hygiène.

— Numéro Sept ?

— Le chiffre de la chance, précisa-t-il sans paraître noter sa contrariété.

— Mais il est hors de question que vous m'appeliez Numéro Sept ! Et que vous me régentiez ! D'ailleurs, je prends le commandement à partir de maintenant !

Partagé entre le fou rire, qui eût été peu charitable, et une certaine admiration devant le sérieux et la détermination de cette frêle jeune femme, Cole la regarda un moment sans rien dire.

Le commandement ? Elle ? Certainement pas ! Tout individu capable d'user de gaz lacrymogène dans une maisonnée pleine d'enfants n'était à l'évidence ni à la hauteur de la tâche, ni digne de confiance.

Il était temps d'établir clairement la hiérarchie.

— *J'ai* pris le commandement. Vous, vous êtes le chanceux Numéro Sept.

— Ne me parlez surtout pas de chance ! siffla-t-elle entre ses dents.

— D'habitude, poursuivit-il sans paraître l'avoir entendue, celui qui commande ne fraternise pas avec le sans-grade chargé du service d'hygiène. Nous aurons donc chacun notre quartier, dans la mesure du possible.

Elle ouvrit la bouche, la referma, l'ouvrit encore telle une truite hors de l'eau.

— Vous plaisantez ?

— Non.

— Je vous rappelle que vous êtes chez *mon* employeur ! Que c'est *vous* l'intrus ! Que vous n'avez pas d'ordres à me donner ! Et que… Sortez immédiatement, espèce de…

40

— Stop ! Ne jurez pas devant les enfants ! Je ne le tolérerai pas. Si vous le prenez ainsi, je partirai. Mais pas avant de m'être assuré que vous êtes qualifiée pour prendre la relève.

— Ne soyez pas absurde. Je me suis occupée de nombreuses fois des enfants.

— Autour d'un magnétoscope en état de marche et de seaux de pop-corn, je suppose ? railla Cole.

— Où voulez-vous en venir, *Numéro Huit* ? rétorqua-t-elle avec mépris.

— Eh bien, par exemple : savez-vous allumer un feu ?

Elle croisa les bras sur sa poitrine et répliqua, ironique :

— Avec des allumettes ?

— Et l'alimenter ?

— Avec du bois ?

— Bien des choses qui paraissent évidentes à l'écran le sont moins lorsque vous vous y essayez dans la réalité.

— Je vois que je peux ajouter la condescendance à votre curriculum vitæ, persifla-t-elle. Juste entre l'arrogance et la prétention de tout savoir.

— Me snober ne vous avancera à rien, avertit-il sans se formaliser. Pour votre information, sachez qu'entretenir un feu de manière à ce qu'il dure toute la nuit est tout un art. Tout comme cuisiner au-dessus des flammes. L'avez-vous jamais fait ?

— Naturellement.

— A part pour des hot dogs ou des marshmallows, je veux dire…

Un silence s'installa. Cole y percevait clairement les mille et une tortures que la jeune femme lui infligeait sans un mot, mais du moins l'écoutait-elle, à présent. Autant en profiter pour enfoncer le clou.

— Et qu'en est-il des plaies crâniennes ? Savez-vous reconnaître les symptômes d'une commotion ?

Elle se contenta de le fusiller du regard.

Dommage… Il aurait aimé la voir taper de nouveau du pied, voire trépigner de rage, ou se jeter sur lui, poings en avant…

— Savez-vous panser une plaie ? ajouta-t-il encore.

— Je crois que je saisis.

Peut-être, mais il voulait s'assurer que c'était vraiment le cas.

— Savez-vous jusqu'où la température peut baisser dans cette partie du monde, la nuit, en cette saison ? Savez-vous ce qu'est l'hypothermie, et comment y remédier si, par mégarde, vous laissiez votre feu s'éteindre ?

— Savez-vous à quel point vous êtes désagréable ?

Mission accomplie, donc.

— Vous me fendez le cœur. Et maintenant, prenez ce bébé et acquittez-vous de votre tâche. J'ai à faire de mon côté.

Il lui tendit la petite Lexandra, humant ostensiblement l'air.

— A moins que je ne me trompe, ce qui est assez rare, le Code Jaune vient de passer au Kaki, commenta-t-il tandis que Saffron, tout à fait consciente du côté où penchait la balance du pouvoir, fourrait les torchons dans les mains de Brooke qui demanda au ciel de lui envoyer une grande provision de patience pour les heures à venir.

4.

— Serait-ce un crime de lèse-majesté, Votre Arrogante Altesse, de demander pourquoi il n'y a pas de chauffage ? questionna Brooke, déterminée à ne pas lui laisser le dernier mot.

— Electrique, le chauffage, l'informa-t-il. Plus d'électricité, plus de chauffage. Ni lumière, ni réfrigérateur, ni eau chaude, ni four, ni micro-ondes, ni rien.

Il était hors de question de l'admettre, mais peut-être valait-il mieux qu'il ait la situation en main, après tout. Pas d'eau chaude ? Seigneur ! Elle qui avait désespérément besoin d'une douche !

— Suivez-moi.

Lexandra dans les bras, Brooke lui emboîta le pas jusqu'au salon qui ressemblait à un camp de réfugiés.

D'un coup d'œil, elle avisa, sur le parquet, les matelas aux draps bien tirés, et, sur la petite table, en pile, les lambeaux nettement pliés de ce qui avait été autrefois les draps les plus chers du monde. Délicieusement tiède, la pièce avait une agréable odeur de barbecue. Dans la cheminée crépitait un feu, et de chaque côté s'entassaient, d'une part plats et ustensiles propres, de l'autre un tas de bûches soigneusement empilées. Sur un matela, était allongée Molly, la tête enrubannée du coûteux bandage.

La jeune femme se précipita vers elle.

— Je vais bien, ma chère, mais comme je suis heureuse de vous voir ! s'exclama la vieille dame avant d'ajouter à voix basse : j'ai bien peur que ce pauvre M. Lermite ait un peu souffert de la solitude de ces bois. Il m'appelle Numéro Six, n'est-ce pas charmant ?

Pas vraiment, de l'avis de Brooke, mais, déjà, leur sauveteur providentiel rugissait :

— Croyez-vous pouvoir vous occuper de ce Code Kaki avant que nous ayons à assainir la maison tout entière ?

— Etes-vous sûre que vous allez bien, Molly ? insista Brooke, vraiment inquiète, mais négligeant avec un certain plaisir la remarque de Cole.

— Oh, je suis une idiote, s'accusa Molly, contrite. Je suis tombée dans l'escalier. La pauvre Saffron a cru que j'étais morte !

— L'escalier le plus stupide que j'ai jamais vu, intervint Cole. En marbre ! Rien de plus dur et de plus glissant ! Quel idiot mettrait des marches comme ça dans une maison occupée par cinq enfants et une personne âgée ?

Brooke lui lança un regard mauvais, tandis que Molly souriait avec indulgence.

— Qu'est-ce que je vous disais ? murmura-t-elle. Adorable.

— Permettez-moi de ne pas être d'accord, alors, marmonna Brooke, avant de s'enquérir à voix haute : où est-ce que je peux changer Lexandra ?

— M. Lermite a installé quelque chose, là-bas, dans le coin. Et il garde de l'eau chaude à côté du feu. Au cas où ce serait… un… vous savez… Code Kaki.

Tout le monde, dans cette maison, se pliait-il donc à ces idioties de codes et de numéros ? Ou tout le monde était-il devenu subitement fou ? Molly, pourtant, avait l'air de trouver cela exaltant !

— C'est un ange, conclut gaiement la vieille femme.

— Un ange ?

Brooke manqua de s'étrangler. Ses propres qualificatifs n'appartenaient pas au même champ lexical ! Elle préférait kidnappeur, voyou, pirate, tyran, arrogant. Enfin bref, quelque-chose-à-ne-prononcer-ni-devant-enfants-ni-devant-mamie.

— Que faites-vous des… euh… torchons sales ? demanda-t-elle encore, aussi dignement qu'elle le put.

— Nous les brûlons. Là-dehors.

— Vous brûlez des torchons de la Maison de Brian ?

— Diable, ma p'tite dame, j'les lave pas ! Faites-en donc ce que vous voulez !

Ce qu'elle voulait, c'était prendre ses jambes à son cou ! Mais comment pouvait-elle abandonner ces enfants à ce fou furieux ?

— Vous jureriez tous comme des charretiers d'ici demain, confia-t-elle à mi-voix à la petite tandis qu'elle l'emportait vers le dispositif « table à langer » qui était, ma foi, tout à fait bien pensé : épingles de nourrice, vêtements de rechange, traversins en guise de garde-fous autour d'une table dont les pieds avaient été sciés pour la placer au niveau du sol.

Une table achetée, elle en était presque certaine, dans une boutique d'antiquités du sud de la France, la dernière fois que Shauna s'y était rendue. Une aubaine, s'était vantée cette dernière. Authentique style Louis XIV !

L'idée la traversa alors… qu'elle aurait été bien incapable de prendre en charge une maison sans électricité, cinq enfants affolés et une personne blessée.

Elle n'avait jamais été scout. Une fois seulement, elle avait fait du camping, et elle avait détesté cela, tant elle avait eu froid et peur la nuit.

Non, inutile de se leurrer, elle était jusqu'au bout des ongles une citadine de pure race. Son travail consistait à jongler avec l'impossible emploi du temps d'une actrice, répondre à sa montagne de courrier, filtrer ses appels, réserver ses dîners en ville et trier sur le volet les personnes qui pouvaient ou non l'approcher. Un travail exigeant, avec certains avantages et beaucoup d'émotions fortes, où elle pouvait espérer sa petite décharge d'adrénaline au moins une fois par jour.

Mais là... Là, l'humiliante vérité était qu'elle venait de tomber dans un monde tout à fait inconnu : elle ignorait comment survivre sans électricité ni micro-ondes ! Comment avait-elle pu atteindre l'âge de vingt-huit ans dans cette ignorance-là ?

Elle n'aimait pas cela, mais alors, pas du tout. Depuis combien de temps était-elle en compagnie de cet horripilant inconnu ? Dix minutes ? Vingt minutes ? Et voilà qu'elle s'interrogeait sur sa vie ?

A cause de lui ?

Certainement pas !

Pour cette fois, mais cette fois seulement, elle se résigna à utiliser un torchon, et se surprit même à en éprouver un malin plaisir. Oh, le mal de crâne que lui avaient coûté ces satanés torchons ! La Maison de Brian croulait sous les commandes. Ne savait-elle donc pas que le coton venait d'Egypte ? A dos de chameau, pour faire bonne mesure, niveau coût. Et Madame le voulait gaufré ? Blanc sur blanc ? Le fil de soie était importé, lui aussi. Très difficile à obtenir ces temps-ci. Autant qu'elle fasse une croix dessus. Il y avait une liste d'attente de trois ans !

Brooke avait dû supplier, implorer, envoyer fleurs et chocolats, faire valoir sans vergogne la célébrité de Shauna. Jusqu'à ce que ces maudits torchons soient livrés, chacun au prix d'une invitation à la soirée des oscars !

Cet homme, là-bas, ne manquerait pas de s'étrangler de rire s'il apprenait l'histoire qui se cachait derrière ces ersatz de couches !

Quelque peu ragaillardie par ce qu'elle appelait « la triste fin de Brian », Brooke reprit Lexandra dans les bras, la couche sale à distance respectable dans l'autre main. Mais la fillette, bien que propre à présent, pleurnicha pour retourner dans ceux de M. Insupportable. Aussi la lui tendit-elle avec un grand sourire avant de suivre Saffron pour qu'elle lui montre, à l'arrière de la maison, le tonneau à brûler… lequel avait été, dans une vie antérieure, un vase en marbre grec d'un blanc immaculé !

Elle y jeta le torchon, non sans en éprouver, une fois encore, un plaisir un peu coupable. Elle avisa, à côté du vase, une boîte d'allumettes et décida d'y brûler la couche. Non qu'elle ait quoi que ce soit à prouver, mais quel mal y avait-il à montrer à M. Je-Sais-Tout que n'importe quel idiot était capable d'allumer un feu ?

Elle découvrit bientôt… qu'elle aurait mieux fait de s'abstenir. Car il semblait qu'il y ait plus inflammable, comme matériau, que des couches sales.

— Si vous voulez bien laisser ça, rugit une voix de l'intérieur. Je m'en occuperai plus tard. Il faut peut-être y ajouter un peu d'essence.

Ainsi il l'observait depuis le début ! découvrit-elle, rageuse.

— Si vous voulez bien me dire où elle se trouve, je…

— Laissez tomber, coupa-t-il. Il nous faudra déchirer davantage de ces précieux draps si vos cheveux prennent feu !

Sur quoi il referma tout simplement la fenêtre.

Furibonde, Brooke retourna dans le salon, où elle le trouva assis sur un canapé, un grand saladier sur les genoux, en train d'éplucher des pommes de terre. C'est à peine s'il leva les yeux à son entrée. A côté de lui, Molly découpait des tomates, tandis que Darrance et Calypso enveloppaient soigneusement les pommes de terre en papillotes dans de l'aluminium, puis plaçaient ces dernières sur un lit de charbon de bois adroitement isolé du cœur des flammes. Quant à Saffron et Kolina, elles effeuillaient avec le plus grand sérieux de la laitue dans un autre saladier.

Que cet individu ait la situation à ce point sous contrôle agaça prodigieusement la jeune femme. Et pas seulement sous contrôle : tous paraissaient satisfaits de leur tâche, conscients de l'importance de leur rôle, et ravis que son Altesse Autocratique règne sans partage !

Tous, sauf elle. Elle avait l'impression d'être une intruse, impression affreuse qu'elle s'était efforcée de fuir toute sa vie. D'où l'exaltation ressentie lorsqu'elle avait obtenu cet emploi auprès de Shauna, comme si elle avait enfin sa place. Mais l'avait-elle vraiment ?

Ou n'était-elle simplement que l'assistante de celle qui avait une place ?

— Est-ce que vous voulez bien prendre la relève ? lui demanda-t-il tout à coup. Je vais faire un saut jusque chez moi pour récupérer quelques steaks. Sans courant ils doivent être en train de dégeler. Autant en profiter.

Un instant, l'espoir fou la traversa que sa brève gêne, peut-être, s'était lue sur ses traits, et qu'il s'efforçait de la mettre à l'aise et de lui rendre sa place.

— Où est-ce, chez vous, exactement ?

— Juste en bas. On voit le toit d'ici. Et aussi ma plage. Celle qui a la forme d'un croissant de lune.

C'est alors que le puzzle s'assembla. Voilà pourquoi les enfants l'appelaient M. Lermite ! C'était l'acariâtre voisin que Shauna qualifiait de bernard-l'ermite ! Surnom qu'elle lui avait donné l'été précédent lorsque son mari, Milton, et

48

elle s'étaient lancés en canoë sur le lac, puis, lassés, avaient décidé de se prélasser sur le sable.

Son sable, avaient-ils bientôt découvert sans ménagement.

Il les avait chassés de sa plage comme il l'aurait fait de vagabonds ! C'était une propriété privée, leur avait-il fait remarquer, annoncée sur une pancarte, bien en vue. En plus de quoi il avait eu l'impudence de demeurer complètement insensible au charme de Shauna. Et totalement indifférent à son nom.

Peu habituée à ce que sa célébrité et son charme ne lui obtiennent pas ce qu'elle voulait à la seconde même, Shauna ne s'en était pas remise.

Ce qui éclairait l'abracadabrante situation sous un jour nouveau, et mit Brooke d'une humeur plus légère. Quelle serait la réaction de Shauna en sachant le bernard-l'ermite chez elle ? Lui serait-elle assez reconnaissante du sauvetage de sa mère et de ses enfants pour oublier l'offense ? Pardonnerait-elle à son assistante, étant donné les circonstances, de ne pas avoir mis l'impudent à la porte dès son arrivée ?

— Est-ce que je peux aller avec vous ? questionna Darrance.

— As-tu fini d'envelopper les pommes de terre et de ramasser du bois ?

— Oui, mon adjudant !

Brooke ne doutait pas que l'homme aspirait avant tout à quelques minutes de solitude. Mais c'était l'heure de la revanche, et elle n'avait aucune intention d'intervenir.

— O.K. Tu peux venir, dit-il d'une voix tout à fait calme et sereine.

L'espace d'un instant, Brooke l'imagina en bon père de famille emmenant son fils en promenade. Mais elle chassa bien vite cette image saugrenue de son esprit.

Lorsqu'il sortit, ce fut comme si la chaleur s'échappait aussi. Son énergie était si écrasante que la pièce parut soudain vide, dépourvue de toute vie et de tout intérêt. Cette pensée, tout également saugrenue, était aussi à chasser bien vite.

Et la dernière des choses à faire était de se diriger comme si de rien n'était vers la baie vitrée pour le regarder s'éloigner d'une démarche assurée le long d'un sentier qui s'enfonçait dans la forêt. D'une démarche souple et déterminée de panthère…

Il ralentit, s'arrêta, désigna quelque chose à Darrance.

— Je l'adore, vraiment, dit tout à coup Molly.

Perdue dans ses pensées, Brooke sursauta.

— Qui ça ?

— Mais M. Lermite, bien sûr !

— Vous, vous adorez tout le monde, Molly, fit remarquer Brooke avec bien plus de contrariété qu'elle ne le souhaitait. Et je ne crois pas que son nom soit Lermite. C'est le voisin d'en face, celui que Shauna surnomme le bernard-l'ermite.

— Ah ? Alors nous devons l'appeler par son vrai nom, répondit Molly, ayant sans doute oublié l'épisode de la plage.

— Je ne connais même pas son nom. Et vous savez quoi ? Je ne veux pas le connaître ! rétorqua Brooke.

Molly la fixa, surprise, et la jeune femme s'avisa soudain qu'elle avait peut-être été un peu trop hargneuse. Puis la vieille dame sourit, d'un sourire de vieille dame qui sait tout et que Brooke n'apprécia pas du tout, avant de commenter, comme pour elle-même :

— Je vois, je vois.

Brooke leva les yeux au plafond et s'abstint de tout commentaire. Puis elle se tourna de nouveau vers la fenêtre juste à temps pour le voir disparaître entre les arbres, tout en priant en silence :

« Je vous en prie, Seigneur, faites que le courant soit rétabli entre-temps. Je vous en prie, je vous en prie. »

5.

— Assez rêvassé, mon petit ! décréta soudain Molly, tapant dans ses mains. Il y a beaucoup à faire, et en très peu de temps.

Brooke quitta la fenêtre à regret.

— Que faut-il faire ? Attiser le feu ? Vous préparer une tasse de thé ? Organiser un jeu pour les enfants ?

— Du thé ? Le feu ? Les enfants ? répéta Molly avec un petit « tss-tss » Réveillez-vous, ma fille ! Vite, allez vous changer ! Et arrangez vos cheveux !

Une vive rougeur enflamma les joues de Brooke tandis que Molly poursuivait :

— Sans vous offenser, ma chère…

Hélas, les phrases qui débutaient par ces mots avaient bien souvent un effet dévastateur.

— … vous avez l'air de sortir de l'essoreuse d'une laverie automatique !

Pire qu'elle l'imaginait !

— J'ai dû escalader un arbre pour arriver jusqu'ici, figurez-vous !

— Oh ! Ne le prenez pas mal, voyons. Je vous suis sincèrement reconnaissante de votre dévouement à ma famille, s'empressa d'assurer la vieille dame. Mais, mon enfant, personne ne voudrait avoir cet air-là avec un tel homme dans les parages !

Molly n'avait pas entièrement tort. Brooke ne tenait pas vraiment à avoir l'air d'avoir été recrachée par une essoreuse ! « Avec ou sans homme dans les parages », essaya-t-elle de se persuader.

Seulement, sa valise était encore dans le coffre de sa voiture, de l'autre côté du tronc, et rien au monde ne l'aurait forcée à entreprendre une nouvelle fois un tel parcours du combattant, d'autant plus qu'elle ne possédait aucune tenue assez étourdissante pour rattraper une mauvaise première impression de toute façon.

— Vos affaires ne conviendraient pas, Brooke, reprit Molly que son choc à la tête devait avoir rendue plus têtue encore. Vous avez le chic de ne jamais vous mettre réellement en valeur, et c'est exactement l'inverse que nous voulons. Montez vite dans la chambre de Shauna. Dénichez quelque chose qui sorte de l'ordinaire. L'idée est de faire perdre la tête à cet homme !

— Mais je ne veux pas lui faire perdre la tête ! s'exclama Brooke avant de s'apercevoir… qu'elle mentait.

Quelle femme en effet ne désirerait pas paraître irrésistiblement attirante, particulièrement aux yeux d'un homme si exaspérant ?

— Et puis, je ne peux pas porter les vêtements de Shauna. Elle me tuerait !

Molly agita la main, telle une fée sa baguette magique.

— Prenez ce qui vous plaît. Et si Shauna a quelque chose à y redire, qu'elle vienne me le dire, à moi.

Dans la mesure où sa mère était la seule personne qui intimidât un tant soit peu Shauna, Brooke savait avoir carte blanche, et c'est sans plus hésiter qu'elle s'élança dans l'escalier en direction de la suite de Shauna, une pièce époustouflante, décorée d'après les *Mille et Une Nuits*, dont l'actrice avait fait un remake au tout début de sa carrière.

Une pièce qui conservait précieusement le secret de Shauna : bien qu'elle raffolât de l'attention masculine, l'actrice n'aimait qu'un seul homme, son mari, Milton. Ensemble depuis douze ans, leur dévouement l'un à l'autre était inconditionnel, presque embarrassant pour les autres tant il y avait entre eux de passion. Ils ne supportaient même pas de se séparer le temps des tournages de Shauna, si bien que Milton accompagnait toujours sa femme où qu'elle aille.

Mais la pièce était aussi scandaleusement érotique, et Brooke eut la désagréable impression d'être une voyeuse tandis qu'elle contournait en hâte l'immense lit à baldaquin d'où se déversaient des mètres et des mètres de soie. Elle se rua vers la vaste penderie et se trouva face aux plus fantaisistes et coûteuses créations des couturiers les plus en vue de la planète. Versace. Klein. Armani. Dior.

Non qu'elle ne soit pas elle-même vêtue avec élégance — son tailleur était un Chanel. Mais il n'y avait rien d'exaltant dans ses vêtements. Impeccablement coupés, classiques, dans des tons discrets qui la faisaient paraître très femme d'affaires et très professionnelle, ses tailleurs ne pouvaient aucunement rivaliser avec les flamboyantes tenues de Shauna.

A présent, la très efficace Mlle Callan était libre d'explorer ses fantasmes, et elle essaya, tout d'abord, la minijupe de cuir noir, avec le haut à sequins qui dévoilait le nombril. Puis elle tournoya devant le miroir vêtue de la vaporeuse tenue d'intérieur de soie pêche, aux manches bouffantes et au décolleté plongeant. Puis de la robe de coton indien à perles, aux multiples jupons, évocateurs du mystère féminin.

La coupe, le tissu, l'attention au moindre détail de ces vêtements faits sur mesure et extrêmement coûteux mettaient subtilement en valeur l'essence même de la femme : sa douceur, ses formes, sa sensualité.

Et ce qui était certain, c'était que la dernière chose qui viendrait à l'esprit d'un homme qui verrait une femme vêtue ainsi serait de lui ordonner de changer une couche !

Satisfaite de ses essayages, Brooke entreprit d'inventorier la rangée « tailleurs ». Ce qu'elle visait avant tout, c'était le look sexy *et* compétent.

Au final, elle faillit se décider pour le tailleur en daim, au toucher aussi duveteux qu'un effleurement d'aile de papillon. Un peu trop petit, il la moulait comme un gant et ne se fermait pas à l'encolure. Elle y pallia en enfilant dessous un délicat bustier de soie.

L'ensemble était discret, élégant, sexy. La tenue parfaite pour corriger une désastreuse première impression. Et peut-être pour…

Mais soudain la jeune femme reprit ses esprits.

L'objectif était de se *débarrasser* de cet homme ! Comment diable y parviendrait-elle dans une tenue pareille ? Le seul détail amusant était de l'éblouir à un point tel qu'il se mette en quatre pour lui éviter la moindre corvée. Mais un homme comme lui ne devait pas fonctionner tout à fait ainsi… Comment pouvait-il bien fonctionner au juste ? Elle oublia bien vite ces questions dangereuses !

Depuis qu'elle était entrée au service de Shauna, chacune de ses liaisons s'était terminée exactement de la même manière : en désastre. A quoi bon provoquer un nouveau désastre ?

Ayant pris sa décision, et après un dernier regard à son rêve envolé de femme fatale, Brooke referma la porte de la penderie de Shauna et se dirigea vers celle de Milton, pas plus grande qu'un placard à balais, et où ne se trouvaient que quelques jeans, chemises et T-shirts, d'aucune marque connue.

La jeune femme prit une paire de jeans au hasard et l'enfila, après en avoir grossièrement retroussé le bas, et serra d'un geste déterminé le tout dernier cran de la ceinture, avant de se saisir du plus informe sweat-shirt qu'elle trouva. Du moins était-elle vêtue chaudement, se dit-elle, et pour les pires corvées — l'uniforme parfait, en tout cas, pour changer des couches et vivre à la dure sans électricité.

Puis elle se rendit dans la salle de bains, où elle aspergea son visage d'eau glacée et rassembla ses cheveux en une stricte queue-de-cheval avant de chausser une des paires de lunettes à la mode de Shauna et de juger dans la glace de l'effet de l'ensemble.

Ces lunettes, sur Shauna, auraient été *tendance*. Perchées sur le nez de Brooke, elles étaient *ridicules*.

Ce qui correspondait exactement à son plan : après avoir fait comprendre à cet individu qu'elle n'était absolument pas en quête d'une aventure galante, elle obtiendrait un à un tous les secrets de ce M. Lermite ou quel que soit son nom. Elle n'était pas bête et, d'ici quelques heures, elle apprendrait à allumer un feu, à l'alimenter, et à cuisiner dessus. Et aussi, même si cette seule pensée la faisait frissonner, à soigner la blessure de Molly.

Puis elle le congédierait après l'avoir chaudement remercié, bien sûr.

A quoi servirait de le séduire, de toute façon ? N'avait-elle pas déjà amplement prouvé qu'elle n'était pas très douée à ce petit jeu ? Elle n'avait vraiment aucune envie de se trouver de nouveau avec un ego meurtri et un cœur brisé lorsque Shauna le soumettrait au test.

Le test Shauna !

En dépit de toutes ses imperfections, l'actrice était un excellent juge des caractères, don qu'avait découvert Brooke à ses dépens.

L'homme s'appelait Keith. Extraordinairement beau, il s'exprimait avec aisance et Brooke en était tombée folle amoureuse. Shauna, plus au fait des mirages du monde où elle évoluait, s'était montrée dubitative dès le début. D'où le test, auquel le dénommé Keith avait lamentablement échoué. Test dont le seul but était de protéger Brooke des hommes qui n'auraient pas de scrupules à l'utiliser pour approcher Shauna.

Ce test consistait en deux étapes. La première était le flirt. Shauna, qui n'avait jamais été infidèle à Milton, pratiquait à la perfection et parfois jusqu'à l'indécence l'art du flirt. C'était d'ailleurs sa brûlante sensualité qui la maintenait à la une de tous les tabloïds et incitait les spectateurs à venir voir ses films.

Et Keith avait oublié jusqu'à l'existence de Brooke au premier battement de cils de Shauna…

Un ou deux autres candidats potentiels avaient, ensuite, réussi à passer l'étape « flirt », ce qui leur avait valu d'être soumis à l'étape numéro deux : la carotte. Là, l'actrice promettait d'user de son influence pour obtenir rôles, lectures de scénarios, à condition que le sujet abandonne son irremplaçable assistante à son triste sort. Et, comme on pouvait s'y attendre, Brooke avait été abandonnée à son triste sort.

Si bien qu'il y avait plusieurs années déjà que Brooke n'acceptait plus aucun rendez-vous, convaincue qu'elle n'attirait que les hommes intrigants et superficiels, hommes qui gravitaient par dizaines dans les milieux qu'elle fréquentait.

C'est donc endurcie par ses expériences passées qu'elle s'attela à son plan : se débarrasser du bernard-l'ermite, et au plus vite. Déterminée, elle alla chercher dans le bureau carnet et crayon pour prendre des notes, puis s'engagea dans l'escalier.

La porte d'entrée s'ouvrit alors qu'elle était à mi-chemin. Avec une dernière pensée de regret pour la tenue de soie pêche, elle pointa fièrement le menton et descendit les dernières marches.

*
* *

Cole s'absenta une heure, passant la majeure partie de ce temps à méditer sur Brooke Callan. Oh, il discuta bien avec Darrance ; quelles plantes étaient comestibles et quelles autres non, les traces de daim sur le sentier, les écureuils dans les arbres. Puis, une fois chez lui, il sélectionna dans son congélateur des steaks presque entièrement dégelés, prêta sa canne à pêche au petit tandis qu'il se douchait et se rasait à l'eau froide, s'aspergeait d'un peu d'après-rasage et changeait de chemise.

Mais en pilotage automatique. Car son esprit en pleine effervescence ne se focalisa que sur la jeune femme, jusqu'à ce que, dans un éclair de lucidité, tel le joueur d'échecs qui pressent la stratégie de son opposant, il devine celle de Brooke Callan. Lucidité soudaine dont il se félicita avec un petit rire de gorge.

N'ayant pas obtenu qu'il lui délègue le pouvoir, elle allait s'efforcer de l'obtenir de manière plus subtile : par ses artifices féminins, très certainement ! Et il était prêt à parier qu'à son retour, il la trouverait sur son trente et un. Elle vivait dans un univers où l'hypocrisie était reine, et il savait, comme tout un chacun, que, dans ce monde-là, la fin justifiait les moyens.

Il imagina la scène comme s'il y était : à son retour à la villa, la jeune femme l'accueillerait en tenue de chasseresse, avec jambes et poitrine bien en vue, coiffure élégante, parfum capiteux et peintures de guerre. Un adversaire de taille, donc, et rien qu'en y pensant…

Oh oui, il en était sûr à présent : elle allait se mettre en quatre pour l'embobiner. Parce qu'elle appartenait à ce genre de femmes prêtes à tout pour échapper à la corvée de couches !

Conscient de ce qu'il allait devoir affronter, il se prépara mentalement pendant tout le trajet du retour. De par son métier, il avait été entraîné à contrer l'usage du sérum de vérité ou de la torture au cas où il tomberait aux mains de l'ennemi : il lui suffisait de choisir une tâche précise qu'il effectuait mentalement dans une totale concentration. Les mêmes méthodes pouvaient être appliquées pour résister à Brooke Callan, femme fatale ! Il savait discipliner son esprit, et quelle que soit la tenue qu'elle choisirait pour le manipuler, ses pensées seraient complètement ailleurs.

Lorsqu'il arriva en vue de la villa, il n'avait donc à l'esprit qu'un fusil à nettoyer. Et il savait qu'il s'en tiendrait là.

Mais lorsqu'il ouvrit la porte d'entrée, il vit un troublant mélange de Tom Sawyer — mais avec des seins — et d'une nonne enseignante, lunettes au bout du nez et bloc-notes sous le bras descendre l'escalier.

Il fixa la jeune femme, ébahi. S'efforça de penser au fusil, mais en vain. A quel jeu jouait-elle ? Et comment Cole Standen, spécialiste lorsqu'il s'agissait de deviner ses semblables, avait-il pu se tromper à ce point ?

— Qu'est-ce que vous portez là ? questionna-t-il enfin, complètement déstabilisé.

— Des vêtements secs. J'étais glacée. Les miens étaient trempés, mais cela vous a sans doute échappé.

Lui échapper ? Des pointes de seins tendues contre de la soie mouillée ? Il les voyait encore !

— Ah.

« Standen, ne dis rien de plus. Pas un seul mot. »

— Et vous avez déniché ça à l'Armée du Salut ? ne put-il s'empêcher d'ajouter malgré lui.

— Non, c'est à Milton, le mari de Shauna. Il a des goûts très simples.

— Et votre Shauna n'avait rien de plus seyant ?

Elle haussa les épaules.

— Oh, non. Pas mon style. Vous comprenez ?

58

Non, il ne comprenait pas. Et pour tout dire, il le ressentait même comme une insulte. Les femmes l'appréciaient et espéraient d'ordinaire qu'il leur rende la politesse. Certaines se donnaient même un mal de chien pour attirer son attention, percer ses défenses.

Et voilà que Brooke Callan, elle, s'affichait dans un jean qui lui serait tombé droit sur les chevilles sans la ceinture qui la sanglait à la taille, et un sweat-shirt gris informe digne d'un taulard !

Que se passait-il donc ici ? Cole pressentait comme un danger et n'aimait pas du tout cela.

C'était lui, le maître-stratège ! Et cette... cette *femme* voulait renverser les rôles ? Ah non ! Il ne pouvait pas le tolérer ! Aussitôt les gamins au lit ce soir, il enclencherait le plan B : il l'embrasserait !

Sans autre but, naturellement, que de vérifier s'il était aussi indifférent à cette jeune insolente que cet accoutrement le suggérait. La sournoiserie, il connaissait, et il ne se laisserait pas abuser aussi facilement. Et puis, si son objectif était de s'enlaidir, c'était raté. Bien sûr, elle était mal fagotée avec cet air de garçon manqué, mais cela n'enlevait rien à sa beauté. Ses cheveux, ainsi rassemblés en queue-de-cheval, lisses et brillants, mettaient en valeur les contours de ses pommettes et son cou gracieux. Ses yeux, même non maquillés, avaient l'air inexplicablement plus grands, leur teinte plus profonde, du violet d'un ciel d'été au crépuscule. Quant à ses lèvres, elles étaient luisantes, pleines, de la couleur des pêches, des pêches que l'on aurait aimé mordre...

Sans trahir sa surprise ou ses intentions, Cole reprit :

— Très bon choix. A l'épreuve de tout. Et qui vous va bien, en plus.

Il y eut une lueur de vexation dans les yeux violets.

— Il n'y avait pas beaucoup de choix.

Il n'en crut rien. S'il montait lui-même fouiller dans les placards, nul doute qu'il trouverait aisément plus affriolant !

— Et merci pour ne pas avoir gaspillé notre eau chaude. Je dois reconnaître que vous vous adaptez à cette situation d'urgence bien mieux que je ne l'aurais cru.

— Oh, vous n'avez encore rien vu, répondit-elle avec une telle suavité qu'elle éveilla aussitôt sa suspicion. A ce propos, combien de temps faut-il pour chauffer cette eau ?

La question était-elle piégée ? Que disait-elle qu'il n'entendait pas ?

— La faire bouillir pour préparer soupe ou thé, ou stériliser quelque chose est assez facile, indiqua-t-il, méfiant. Mais l'utiliser pour se laver oblige à la laisser refroidir, ce qui prend presque autant de temps. Alors j'en garde près du feu. Il faut environ deux heures pour que dix litres d'eau redeviennent assez tièdes pour ne pas brûler le bébé.

Elle prenait des notes !

Il la considéra quelques secondes d'un regard pénétrant, cherchant à déjouer la ruse. Mais il ne vit rien d'autre qu'une folle furieuse en train de griffonner sur un bloc-notes. Haussant les épaules, il se dirigea vers le salon, la jeune femme sur ses talons. Il n'était sûr que d'une chose : elle avait sa propre stratégie, et il y avait fort à parier que c'était de le rendre fou !

A leur entrée, Molly leva aussitôt les yeux. Et son expression se mua en une grimace d'horreur.

— Pour l'amour du ciel, ma fille, avez-vous perdu l'esprit ?

— Pardon ? fit mine de s'étonner Brooke.

Molly ne daigna même pas répondre, et se replongea dans son roman sentimental, qu'elle éleva délibérément au niveau de ses yeux pour ne plus voir la jeune femme.

Etre ainsi snobée ne parut pas préoccuper le moins du monde l'intéressée qui se tourna de nouveau vers lui, stylo en l'air.

60

— Combien de Codes Kaki par jour ? Et à combien d'eau cela correspond-il ?

Il lui coula un regard en biais. Elle devait se payer sa tête. Mais non, son expression était des plus sérieuses.

— Une douzaine.

— Lexandra ne fait tout de même pas une douzaine de Codes Kaki par jour ! s'exclama-t-elle horrifiée.

Ce qui signifiait qu'elle ne s'y connaissait pas plus en nourrissons que lui ! Non seulement elle voulait diriger son petit monde, mais, en plus, elle ne se rendait pas compte qu'elle ne lui serait apparemment d'aucune aide !

— Ce n'est peut-être qu'une impression, concéda-t-il de mauvaise grâce.

— De combien d'eau chaude avons-nous besoin, donc ? insista-t-elle.

— Pour les changements de couches, environ deux litres par jour. Et tout le monde se lave les mains avant chaque repas ou chaque préparation de repas. Je compte donc à peu près une vingtaine de litres par jour.

— Et l'eau coule de tous les robinets ? C'est du moins le cas à l'étage.

— Par gravité, l'informa-t-il.

Ce qu'elle écrivit également, bien qu'il soit certain qu'elle n'avait aucune idée de ce que cela signifiait.

— Je vais faire griller les steaks dehors, annonça-t-il tout à coup.

Il n'était de retour que depuis cinq minutes mais, déjà, il éprouvait l'urgent besoin de s'éloigner d'elle tant elle le déstabilisait, le rendant incapable de prédire son comportement, ou de deviner ce qui la motivait ; ce qui le hérissait au plus haut point.

— Donc le barbecue fonctionne ? déduisit-elle, levant les yeux pour l'observer par-delà le rebord de ses horribles lunettes.

— Au propane, précisa-t-il, de plus en plus méfiant.

Elle le nota, puis rentra le bloc-notes sous la ceinture de son jean, si large qu'un hippopotame aurait pu y entrer avec elle, geste qui exposa un bref instant son nombril.

— Je viens voir comment vous faites.

Il haussa les épaules, et sortit.

L'atmosphère fraîchissait, un vent violent s'élevait du lac et l'allumage automatique se révéla capricieux. Il utilisa donc une allumette, suite à quoi elle insista pour essayer à son tour.

Il y eut une flammèche, et elle recula d'un bond en poussant un cri.

— Pas mal, commenta-t-il, sarcastique, du moment que vous n'êtes pas trop attachée à vos sourcils.

— Est-ce qu'il m'en reste ? s'affola-t-elle, avec une inquiétude bien réelle pour une femme aussi déterminée à ressembler à un épouvantail.

— Quelques touffes, la rassura-t-il. Mais grises et un rien frisottantes aux extrémités. La prochaine fois, ne laissez pas trop de propane s'échapper avant de gratter l'allumette.

— C'était le vent ! protesta-t-elle, avant de se remettre à griffonner furieusement.

6.

Elle griffonna et griffonna et griffonna encore. Avant, pendant et après le dîner. Elle consigna jusqu'au moindre détail comment cuire les pommes de terre, comme s'il s'agissait d'une recette à envoyer à une revue culinaire. Puis les tâches assignées à chacun après le dîner. Et encore le moindre de ses gestes tandis qu'il changeait le bandage de Molly, et en déchirait d'autres pour le lendemain. Et lorsqu'il alimenta le feu pour la nuit, elle lui demanda des instructions étape par étape.

Puis elle aida les enfants à se mettre en pyjama et à se coucher. Et ce fut la seule fois de la soirée où elle lâcha son bloc-notes.

La pièce était dans la pénombre à présent, à l'exception de la lueur dansante du feu. Une agréable sensation de bien-être s'était installée.

— M'sieur Lermite, racontez-nous une histoire, sollicita Saffron dans un bâillement.

— Pas ce soir.

Ce soir, il avait d'autres projets. De vastes et cruciaux projets. L'heure du baiser approchait. Et sa proie était tout près…

— S'il vous plaît. S'il vous plaît. S'il vous plaît, reprirent les enfants en un refrain assourdissant.

Brooke éleva une main.

— D'abord, je crois que nous devrions découvrir quel est le vrai nom de M. Lermite.

— C'est quoi son vrai nom ? reprirent les petites voix à l'unisson.

— Si vous le devinez, je vous raconterai une histoire. Et pour vous aider, je vais même vous donner des indices, annonça alors Cole en regardant la jeune femme d'un air étrange.

A sa grande surprise, cet intermède ne l'ennuyait pas. Il aimait bien ces gosses, leurs jeux, leur énergie, leur avidité à apprendre, leur promptitude à rire.

— Mon prénom est un peu particulier, commença-t-il, et se prononce de la même façon que quelque chose qui accroche très fort.

— Comme M. Scotch ? lança Calypso, saisissant l'allusion.

— Non. Qui accroche encore plus.

— Sparadrap, parce que vous réparez les cœurs que vous brisez ? ironisa Brooke.

Il lui coula un regard étonné. Il venait d'avoir un aperçu d'une femme non plus sophistiquée, mais effrayée. Effrayée par les hommes. L'espace d'un instant, sa détermination vacilla : cette vulnérabilité, peut-être ne devait-il pas en profiter...

Il donna un nouvel indice.

— Cela sert aussi de punition à l'école.

— Une heure de colle ! s'exclama triomphalement Saffron. Votre prénom, c'est Colle ?

— Plus précisément Cole, avec un seul « l ». Et mon nom de famille est Standen.

— Monsieur Stan-den, répétèrent l'un après l'autre les enfants.

— En fait, c'est major Standen, rectifia Cole.

Il y eut un bref silence respectueux, puis Calypso se mit au garde-à-vous dans son lit avec un sonore :

— A vos ordres, chef !

Puis il s'affala sur son matelas, plié de rire, aussitôt imité par son frère et ses deux sœurs.

Cole ne put s'empêcher de se joindre à eux. Il se sentait tellement à l'aise, à l'abri dans cette pièce, un vrai sanctuaire par rapport au monde où s'était déroulée la majeure partie de sa vie.

— J'ai deviné ; alors, maintenant, racontez-nous une histoire, réclama Saffron. Une qui parle de vous.

Il doutait qu'une seule d'entre elles soit indiquée pour des enfants. Mais, après quelques secondes, il se souvint d'une de celles de son enfance, et il débuta :

— Il y a très, très longtemps, vivait un garçon qui s'appelait Jimmy. Il habitait à l'autre extrémité de ce lac, isolé de tout, avec son père, un trappeur. D'ailleurs, Jimmy n'allait pas à l'école. Il était très seul, mais heureusement, il possédait un don : celui de bien s'entendre avec les animaux. Il avait toujours avec lui un raton laveur qui le suivait comme un chien.

La mention du raton laveur, constata-t-il, captiva les enfants, mais ce qui le surprit davantage, ce fut l'intérêt qui se lisait dans l'expression de Brooke. Etrange…

— Jimmy devint un homme. Il travaillait dur de ses mains pour vivre de la terre. Il était rude, comme ça, à le voir, mais son cœur était si bon que lorsqu'il s'asseyait sur la plage, les daims venaient poser leur museau sur ses genoux. Un jour, alors qu'il regardait de l'autre côté de la baie, il vit que l'on construisait une maison. Il vint rendre visite aux charpentiers, qui lui dirent que ce devait être la résidence d'été d'une riche famille qui possédait une mine. Alors, un jour d'été, curieux, il y retourna et, de son canoë, aperçut une jeune fille qui se promenait sur la plage. Elle était vêtue d'une longue robe de dentelle blanche et s'abritait sous une ombrelle. Même de loin, il se dit que c'était la créature la plus merveilleuse qu'il avait jamais vue.

Brooke s'était penchée vers lui à présent, le menton dans les mains, des étoiles plein les yeux. Une romantique qui s'ignore, s'avisa-t-il à son grand regret, car ses projets pour ce soir lui paraissaient de plus en plus compromis.

— Jimmy fit accoster le canoë, et la jeune fille le regarda débarquer bouche bée. N'oubliez pas qu'elle n'avait certainement jamais vu quelqu'un comme lui de sa vie. Il devait être vêtu de peaux de bêtes, et ses cheveux devaient être très longs, jusqu'aux épaules. Il devait avoir l'air un peu sauvage surtout, et la jeune femme allait s'enfuir, mais rappelez-vous aussi que Jimmy était capable de charmer les daims de la forêt. Il savait exactement comment rassurer les êtres effrayés. Il mit un genou à terre, et appela son raton laveur. Et le raton laveur sortit du canoë, remonta le long de son bras et se percha sur son épaule, ce qui fit rire la jeune fille. Alors il se releva et, sans la quitter des yeux, appela un oiseau dans son nid. L'oiseau vint se percher sur son bras et, très lentement, il s'approcha de la jeune fille, et le posa sur son épaule en lui disant : « Je m'appelle Jimmy. » Elle lui répondit qu'elle s'appelait Eileen et, déjà, l'amour brillait dans ses yeux. A partir de ce moment-là, amoureux l'un de l'autre, ils se retrouvèrent jour après jour pour explorer ensemble l'univers de Jimmy, un univers où tout était plus beau pour Eileen, où tout était plus palpitant, plus vivant qu'elle ne l'avait jamais connu, enchaîna-t-il malgré lui.

Il souhaitait accélérer, mais l'histoire avait pris vie d'elle-même. C'était celle, classique, de la jeune fille riche et du garçon pauvre.

— Mais les parents d'Eileen n'approuvaient pas cette idylle, et le père de Jimmy lui-même estimait que son fils oubliait sa place. Alors, les deux jeunes gens décidèrent de s'enfuir pour se marier, et de se retrouver à la pleine lune près de ce rocher, juste là-bas.

Tous les enfants tordirent le cou en direction du point qu'il désignait au-dehors. Et Brooke alla jusqu'à se lever pour scruter, au-delà de la baie vitrée, l'escarpement rocheux solitaire qui surplombait le lac. Elle frissonna et s'enveloppa de ses bras.

— Mais le père d'Eileen la surprit alors qu'elle s'enfuyait ce soir-là et l'enferma dans sa chambre. Jimmy l'attendit en vain près du rocher, pendant qu'une tempête se préparait sur le lac. Pourtant, il reprit son canoë cette nuit-là.

Cole hésita. Devait-il inventer une autre fin ? Trop tard, s'avisa-t-il. Seule la vérité sonnait juste, et il ne pouvait déshonorer ses ancêtres en la changeant à ce stade, même s'il éprouvait l'incompréhensible désir de protéger l'exaspérante Brooke Callan du dénouement.

Elle devait s'en douter, car elle était toujours à la fenêtre, et ne s'était pas retournée une seule fois.

— On trouva son canoë brisé sur les rochers le lendemain matin avec, à l'intérieur, toujours vivant, le raton laveur. Mais personne ne revit jamais Jimmy.

Du coin de l'œil, il vit la jeune femme prendre une inspiration tremblante et s'essuyer hâtivement la joue. Comment diable cette femme, qui pleurait pour une histoire, avait-elle survécu dans le monde de requins où elle évoluait ?

Avec un masque, devina-t-il aussitôt. Un masque qui lui donnait l'apparence d'une femme froide, efficace, avide de pouvoir et de contrôle. Mais le masque, ce soir, était tombé.

Inutile, désormais, le baiser… L'idée était de la démasquer, et une simple légende venait de le faire.

— Oh, c'est tellement triste ! se désola Saffron. Et le raton laveur, qu'est-ce qu'il est devenu ?

— Eileen apprit à appeler les oiseaux, elle aussi, et le raton laveur devint son meilleur ami. Tout le monde la prenait pour une folle, mais ses parents arrivèrent quand même à la marier à un homme qu'ils approuvaient, cette fois. Mais est-ce que cet homme l'aimait ? La légende dit que non. Qu'il était seulement ambitieux et voulait hériter de la mine.

— Y a des gens comme ça, observa doctement Saffron. Je le sais parce que ma maman est célèbre et qu'à l'école, avant, y avait des filles qui jouaient avec moi rien que pour ça.

Il vit Brooke se raidir à ces mots. Ainsi, tous ceux qui gravitaient autour de l'actrice devaient se garder des tentatives de manipulation.

— Et qu'arriva-t-il à Eileen ? questionna-t-elle, comme à contrecœur, toujours tournée vers le lac.

— Elle s'installa dans la maison du lac et eut des enfants. Six en tout. D'après ce que l'on dit, elle fut une bonne mère, tendre et attentive. Mais une nuit, alors que tous ses enfants s'étaient mariés, que la lune était pleine et qu'une tempête se préparait, elle marcha jusqu'au bord du lac. Le lendemain, on trouva sa robe blanche et son ombrelle l'endroit même où le canoë de Jimmy avait été retrouvé des années et des années plus tôt. Personne ne la revit, elle non plus.

— Est-ce une histoire vraie ? questionna Brooke d'une voix rauque.

Cette fois, elle se tourna vers lui. Il aurait pu effacer la tristesse de son regard d'un simple « non ». Mais il n'en fit rien.

— Oui. C'est de là que vient le nom d'Heartbreak Bay, la Baie des cœurs brisés. Eileen Cole Standen était mon arrière-grand-mère. C'est son nom de jeune fille que je porte comme prénom. Les Cole étaient les principaux propriétaires fonciers de la région jusqu'à ce que la mine se tarisse dans les années soixante. Nous n'avons conservé que le terrain autour de mon chalet. Tout le reste a été vendu.

— Moi, je préfère les histoires de fantômes, se plaignit Calypso.

— Alors tu vas aimer la fin de celle-là, reprit Cole. Parce que certaines personnes disent qu'elles ont vu Eileen et Jimmy se promener main dans la main sur la plage, les soirs de pleine lune. Et elles en sont sûres parce que la femme était en robe blanche, avec une ombrelle, et l'homme en peaux de bête, avec un raton laveur sur son épaule.

— Des fantômes ? s'exclama Saffron avec un frisson de délices. Près de chez nous ?

— Des gentils fantômes, s'empressa de préciser Cole, s'apercevant un peu tard que ce n'était sans doute pas le meilleur dénouement à inventer face à un auditoire aussi impressionnable.

— Kolina aime les zistoires d'lapinous, intervint alors Kolina du même ton désapprobateur que son frère. M'man Lapinou, P'pa Lapinou, et bébé Lapinou.

— Je m'en souviendrai la prochaine fois, promit Cole.

— Et moi, les histoires de guerre ! l'informa alors Darrance qui, agenouillé, fit mine de faucher son frère et ses sœurs avec une mitrailleuse imaginaire.

— Je ne raconte pas ces histoires-là, décréta fermement Cole. Allez, maintenant, tous à vos lits de camp ! Au dodo et c'est un ordre !

Il y eut un chœur de :

— A vos ordres, chef !

Puis, dans le profond silence qui suivit, Molly, qu'il n'avait pas entendue jusque-là, poussa un long soupir et dit :

— Vous savez, Cole, j'ai un faible pour les histoires d'amour qui finissent bien. Et allez savoir pourquoi, j'ai comme le sentiment que votre arrière-grand-mère est toujours en quête d'une fin heureuse pour la sienne.

— Que voulez-vous dire par là ?

Mais la vieille dame haussa les épaules, s'emmitoufla dans sa couverture, et lui tourna résolument le dos. Sans répondre.

Cole releva la tête, croisa le regard de Brooke… et détourna les yeux le premier.

7.

Cole se réveilla tôt, d'une exaspérante bonne humeur de l'avis de Brooke, et entreprit d'attiser le feu tout en sifflotant. A l'évidence, il n'était pas dans ses intentions d'enfiler une chemise dans l'immédiat et la jeune femme, déjà agacée par l'étalage de virilité qu'était son torse nu, n'eut d'autre choix que d'enfouir la tête sous son oreiller.

Bientôt les enfants bondirent eux aussi de leur lit tels des diables hors de leur boîte et, tout à coup, la pièce passa du silence de la nuit à une joyeuse bataille de polochons. Elle les regarda ensuite se battre pour s'asseoir près de Cole pour le petit déjeuner, puis tirer à la courte paille les corvées qui leur permettraient de rester à proximité de leur sauveteur. Tous les cinq l'adoraient, aveuglément et sans réserve. Et Cole, en retour, avait une attitude tout à fait naturelle avec eux, trouvant sans effort apparent le parfait équilibre entre la fermeté et la gentillesse.

Brooke décida d'attendre la fin du petit déjeuner et de la vaisselle avant de le congédier, consciente qu'attendre plus longtemps, et apprendre à l'apprécier davantage, ne lui rendrait la tâche que plus difficile.

— Cole, j'aimerais vous parler. En privé, lui annonça-t-elle sans oser le regarder dans les yeux.

Il la suivit dans l'entrée, où Brooke prit une profonde inspiration, leva brièvement le regard vers lui, pour le détourner aussitôt.

— Major Standen, je ne vous remercierai jamais assez pour tout ce que vous avez fait.

— Ah. Il y a une seconde, c'était Cole, et maintenant, c'est major Standen, fit-il remarquer, caustique. Vous savez, la dernière fois que j'ai senti les poils se hérisser comme ça sur ma nuque, les combattants ennemis s'infiltraient dans mon camp, de nuit, avec des couteaux entre les dents, ajouta-t-il, ironique.

Comme elle aurait aimé qu'il lui en parle. Et de toutes ses autres aventures, aussi. Et de sa famille. Et de son enfance au bord du lac.

Mais elle se reprit bien vite et poursuivit précipitamment le discours qu'elle avait appris par cœur :

— Je sais que Shauna tiendra à vous remercier d'une manière ou d'une autre. Auriez-vous envie de quelque chose en particulier ?

Il croisa les bras sur sa poitrine. Ses biceps, sous la peau, saillaient délicieusement…

— Je trouve cette offre insultante, lâcha-t-il, un éclair d'acier au fond des yeux.

Oh, Seigneur, des biceps comme ça, et le seul homme, peut-être, que Shauna ne pourrait pas acheter !

— Je le lui dirai, articula Brooke, ne sachant où poser son regard.

Mais elle savait que cela ne servirait à rien. Shauna se voulait grand seigneur, et, qu'il le veuille ou non, Cole se retrouverait bientôt en possession d'un écran plat 16/9es ou autre.

— J'ai pris suffisamment de notes, enchaîna-t-elle, lui brandissant son bloc-notes sous le nez. Il n'y a donc aucune raison que vous restiez. Je peux me débrouiller seule, à présent.

Elle lui coula un regard furtif. Etait-ce une impression ou était-il sur le point d'éclater de rire ? Non ! Il n'oserait pas !

— Seriez-vous en train de me congédier ? questionna-t-il d'une voix grave et assurée où perçait néanmoins une note joyeuse.

— Exactement !

Il la considéra un long moment sans un mot. Puis il décréta solennellement :

— D'accord. Cela me convient tout à fait.

Il ne discutait même pas ! Oh, quel homme détestable ! Il avait aussi hâte de partir qu'elle de le voir s'en aller ! Et pourquoi fallait-il qu'elle se sente obligée de préciser :

— Je veux dire… Enfin, vous avez probablement des années d'expérience des situations d'urgence sur le terrain alors que je n'ai que quelques notes et quelques aperçus, mais… je crois vraiment que je m'en sortirai.

— Parfait. Vous m'avez convaincu.

Mais elle en doutait. Pensait-il avec un certain plaisir sadique qu'elle viendrait le supplier de revenir dans moins d'une heure, et se réjouissait-il déjà à cette idée ?

— L'électricité va sans doute être rétablie d'un moment à l'autre, ajouta-t-elle d'une voix assurée comme pour mieux s'en convaincre.

— Mmm… Mmm…

— Allons ! A-t-elle déjà été coupée si longtemps que ça ?

— Trois semaines, la dernière fois.

— Oh !

Une vague angoisse venait de l'envahir. Mais elle ne devait pas flancher maintenant. Il n'y avait aucune raison que le pire se reproduise. Elle lui tendit la main et ébaucha un sourire.

— Ce fut un plaisir de vous connaître, major. Je ne saurai jamais assez vous remercier.

Il répondit à son geste d'une poigne si puissante qu'elle sentit un courant électrique la parcourir. Troublée, elle retira sa main, se plongea dans son bloc-notes, lança un autoritaire « Ah ! », comme si elle venait de se rappeler soudain d'une tâche urgente à accomplir, puis tourna les talons.

De retour dans le salon, elle feignit d'ignorer la tristesse manifeste des enfants lorsqu'ils apprirent le départ de Cole. Ce n'était pas, elle en était certaine, qu'ils n'avaient pas confiance en elle ; simplement, ils s'étaient en quelque sorte entichés de leur sauveteur. C'était tout à fait normal, et elle était même sûre que cela portait un nom, en psychologie.

— Tatie Brooke, dis-lui de rester ! vint la prier Saffron, les larmes aux yeux. Tu ne sauras pas t'occuper de nous !

— Mais bien sûr que si ! protesta Brooke, aiguillonnée par l'insulte.

Nullement impressionnée, la fillette la regarda attentivement, méfiante.

— Ce n'est pas toi qui lui as dit de partir, dis ?

— C'est ce qu'il a dit ?

— Non. Juste qu'il était temps qu'il parte. Et que tu ferais de ton mieux pour t'occuper de nous à sa place.

— C'est tout à fait vrai.

— Tatie Brooke, reprit Saffron, tu sais répondre au téléphone, écrire des lettres et prendre les rendez-vous de maman. Mais le reste, tu sais pas le faire.

— Je t'assure que si. Et de toute façon, tu vas m'aider, n'est-ce pas ?

Saffron lui décocha un regard indubitablement préadolescent, à la fois cynique et rebelle.

— Non, toi, j'ai pas envie de t'aider !

Sur quoi elle tourna les talons.

La porte d'entrée venait à peine de se refermer sur Cole que l'armée entière désertait. Chaussettes sur la tête pour ne pas attraper froid, tous les enfants ignorèrent les ordres de Brooke et se précipitèrent à l'étage pour jouer. Quant à Molly, réfugiée derrière son roman, elle ne put absolument rien en obtenir non plus.

Seule Lexandra, et pour cause, ne l'abandonna pas.

— Pas de Code Kaki avant le déjeuner, la supplia-t-elle.

Le bébé grimaça, devint tout rouge, puis sourit d'un air satisfait tandis qu'une puissante odeur s'élevait jusqu'aux narines de Brooke, qui maugréa :

— Aucun doute, c'est une mutinerie.

— Aucun doute, en effet, renchérit Molly, non sans une certaine satisfaction.

L'heure du dîner trouva Brooke au bord de la folie.

Les enfants avaient été odieux, n'obéissant à aucun de ses ordres. Ils refusèrent de faire leurs lits. De manger la salade qu'elle avait préparée, et de l'aider à débarrasser la table. De faire la vaisselle, aussi, bien sûr.

A l'étage, ils s'aspergèrent les uns les autres dans une des salles de bains avant de maculer l'escalier et l'entrée de traces de boue. Et ils passèrent les trois quarts de la journée à se disputer.

Puis les garçons enveloppèrent Kolina de papier toilette des pieds à la tête, sans se préoccuper de savoir si la petite appréciait ou pas de jouer à la momie. Et à peine Brooke eut-elle délivré une Kolina en pleurs que sa sœur aînée apparut outrageusement maquillée, et annonça son intention de se percer le nez avec une aiguille.

Molly, quant à elle, exigea qu'elle lui change son bandage douze fois, nombre que sa toute dernière petite-fille s'efforça de traduire en autant de Codes Jaunes et de Codes Kaki.

Ce qui expliquait sans doute pourquoi le barbecue avait failli exploser, et la maison brûler : par simple solidarité avec l'ambiance de cataclysme qui régna dans l'air toute la journée !

Un peu avant le dîner, la jeune femme avait voulu faire griller au barbecue les quelques steaks restants. Alors qu'elle l'allumait, le vent avait éteint la flamme. Comment était-elle censée savoir que le propane continuait à s'échapper ? Le vent souffla deux ou trois autres allumettes, et lorsqu'elle parvint enfin à en garder une allumée, le propane stagnait dans la cuve.

L'explosion la projeta contre le mur de la maison, et c'est avec horreur qu'elle vit le couvercle du barbecue catapulté jusque dans l'eau saumâtre de la piscine.

Lorsqu'elle se retourna, le cœur battant, elle aperçut, écrasés contre la vitre, cinq visages affolés. Au moins, voilà qui les avait calmés !

Les jambes encore flageolantes, elle n'abandonna pas pour si peu, et décida néanmoins de cuire les steaks à l'intérieur. Elle ignorait comment cuisiner au-dessus des flammes, mais, après un bref coup d'œil à ses notes, elle se remémora le lit de braises isolées. Malheureusement, alors qu'elle en ôtait quelques-unes du feu, l'une d'elles lui échappa sans qu'elle s'en aperçoive et atterrit sur le tapis… qui se consumait déjà avec une rapidité étonnante lorsque Calypso tira sur sa manche pour le lui montrer. Elle déversa dessus les dix litres d'eau qu'elle avait mis l'après-midi entier à faire chauffer. Le tapis dut être transporté à l'extérieur et les matelas déplacés pour qu'elle puisse éponger tant bien que mal.

Des heures semblèrent s'écouler avant qu'ils ne se retrouvent tous à grignoter des céréales sèches d'un air lugubre, sans que Brooke parvienne à persuader les enfants, ou même Molly, de le prendre à la rigolade.

— C'est encore mieux que Koh Lanta ! s'efforça-t-elle de plaisanter avec un entrain forcé.

— Non ! rétorqua en chœur sa mauvaise troupe.

Et ce soir-là, là où la veille il y avait eu une histoire racontée à la lueur dansante des flammes, il n'y eut qu'un silence pesant.

Elle attendit que tous les enfants soient couchés, et Molly plongée dans son roman, pour quitter sur la pointe des pieds la pièce et sa douce chaleur et aller s'isoler dans une des salles de bains de l'étage. Personne ne l'avait suivie, mais elle ferma pourtant la porte à clé. Puis elle abaissa l'abattant des toilettes, s'y assit, et pleura.

— Aaah, soupira Cole tout haut.

De sa cheminée soufflaient d'agréables vagues de chaleur, et au-dessus des braises, dans du papier aluminium, grésillait une superbe truite arc-en-ciel.

Il se versa du vin rouge, le fit tourner au fond du verre, l'éleva à la clarté des flammes pour en admirer la robe rubis. Moment sublime qu'il appréciait entre tous. Silencieux. Serein. Sans cris, sans chaos, sans enfants et surtout sans Brooke Callan et ses yeux de perdition.

— Santé ! fit-il, d'une voix qui sonnait faux.

Mais il reposa le vin sans y goûter, et contempla les flammes.

La vérité était qu'il ne profitait pas de ce moment autant qu'il l'aurait voulu, ou, tout au moins, autant qu'il l'aurait apprécié à peine quelques jours plus tôt.

— Redescends sur terre, Standen ! Ils ne te manquent pas. Et elle encore moins. Ou alors, comme une rage de dents lorsqu'elle s'achève enfin !

Bon, d'accord : il était curieux de savoir comment s'était déroulée la journée, du genre d'histoire qu'elle raconterait aux enfants, mais c'était tout ! Peut-être que Kolina aurait droit à son histoire de lapinous. M'man Lapinou, P'pa Lapinou, Bébé Lapinou.

Quelle horreur !

Ce qu'il se dit également lorsqu'il goûta enfin le vin. Aussi infect que du mauvais jus de raisin !

Avec un soupir, il renfonça le bouchon de liège dans le goulot de la bouteille. Il n'était pas un grand buveur de toute façon, ne serait-ce que parce qu'il détestait perdre la maîtrise de son esprit.

Or, peut-être suffirait-il d'un verre de vin pour qu'il en vienne à méditer davantage sur la raison pour laquelle la perspective de manger sa truite en solitaire ne l'enchantait plus…

Il ne restait à la truite en question que quelques arêtes lorsqu'il sursauta. Un faible coup à la porte ! Il s'y rua, l'ouvrit à la volée, s'attendant à trouver Brooke.

La déception le poignarda cruellement. Ce n'était que Saffron qui, une chaussette sur la tête, emmitouflée dans un anorak, annonça tristement, sans même le saluer :

— Elle a fait exploser le barbecue. Et mis le feu au tapis.

Inutile de demander de qui il s'agissait !

Cole saisit la fillette par les épaules.

— Est-ce que tout le monde va bien ? A-t-elle été blessée ? Ou un de tes frères et sœurs ?

— Pas encore, répondit Saffron d'un air théâtral, mais ça devrait plus tarder !

Bon sang ! C'en était trop ! fulmina Cole avant de s'élancer de nouveau sur le sentier désormais familier, la fillette sur ses épaules. Cette femme exaspérante avait eu sa chance, mais à partir de maintenant, c'était lui qui allait prendre les choses en mains ! Et qu'elle ne s'avise pas de le congédier de nouveau !

A son arrivée, il trouva, devant l'entrée, un tapis ruisselant d'eau et carbonisé par endroits, et les enfants blottis contre leur grand-mère devant un feu agonisant.

Mais pas de Brooke.

— Dieu merci vous voilà ! murmura Molly. Bienvenue à la maison.

Sans répondre, il alla rajouter une bûche dans le foyer. « A la maison ». Ces simples mots évoquèrent en lui un manque, un désir de quelque chose qui, pour lui, devenait essentiel…

— Elle est en haut, déclara Darrance. En train de se suicider, je crois.

— A cause d'un tapis ? s'exclama Cole.

C'était bien possible. Après tout, elle s'inquiétait déjà pour des torchons et des draps.

— P'têt bien à cause du tapis…, marmonna Darrance.

Cole crut percevoir une certaine fourberie dans le ton du garçon, de même qu'une étincelle espiègle dans ses yeux. Il lui décocha son plus sévère regard.

— Peut-être bien ? Tu veux bien préciser, je te prie ?

— C'est que… on n'a pas été très sages, aujourd'hui, avoua Darrance. Surtout Calypso. Déguiser Kolina en momie, c'était son idée à lui !

— Voui, avec du paper tolette, précisa la petite, les larmes aux yeux, ravie de dénoncer ses frères.

— C'était pas mon idée ! protesta l'accusé. Menteur ! T'es qu'un gros dégueulasse !

« Il faut décidément être dingue pour avoir cinq gosses ! » songea Cole pour la énième fois, mais avec affection cette fois.

Il leva une main et annonça :

— Je m'occuperai de vous plus tard.

Puis, tandis que les deux garçons échangeaient un regard inquiet, il se rendit à l'étage et entendit des bruits de pleurs étouffés qui parvenaient d'une chambre d'amis, puis d'une salle de bains attenante. Des pleurs ! Nom d'un chien ! Les pleurs, il n'y connaissait rien ! Il était soldat, lui !

Il frappa discrètement à la porte. Les sanglots cessèrent aussitôt.

— Je vais bien, Saffron, hoqueta une voix enrouée. J'ai juste besoin d'être un peu seule.

— Ce n'est pas Saffron. Ouvrez cette porte.

Silence.

— Je ne plaisante pas, Brooke. Ouvrez cette porte !

— Ou alors ?

— Ou alors je la défonce ! Et ce sera une chose de plus à expliquer à votre patronne, en plus du tapis, du barbecue dans la piscine, des draps et des torchons.

— Il n'y a que le couvercle dans la piscine ! Et le tapis n'est pas fichu. Un tapis persan, ça doit avoir l'air d'avoir vécu, de toute façon. En Turquie, sur les marchés, ils les mettent même par terre pour que les passants marchent dessus, pour les user un peu, justement.

— Ça, pour avoir l'air usé, il a l'air usé ! Par une tribu entière de marcheurs sur braises. Ouvrez cette porte ! répéta Cole sans se laisser détourner de son but.

Elle l'entrouvrit, appliqua sur l'interstice un œil méfiant.

— Il n'est pas réparable, vous croyez ?

— Je me fiche comme d'une guigne de ce tapis ! Je ne suis pas là pour ça.

— Pourquoi êtes-vous là, alors ? Ne me le dites surtout pas ! Je sais ! Pour bien retourner le couteau dans la plaie avec vos « je vous l'avais bien dit ! »

Il poussa la porte sans qu'elle oppose la moindre résistance, ce qui en disait long sur l'état de fatigue dans lequel elle se trouvait.

Elle avait le visage barbouillé de larmes, et sa tenue, qui avait l'air d'avoir été autrefois en daim, et lui allait comme un gant, était trempée et maculée de suie. Ses cheveux, échappés de la queue-de-cheval, pendaient en tous sens, son pouls, à la base de sa gorge, battait aussi fort que celui d'un lièvre pris au piège.

— Non. Saffron est venue me chercher.

— Toute seule ? En pleine nuit ? s'écria-t-elle, sur le point de sangloter de nouveau.

— Cela n'a plus d'importance maintenant.

— Vous trouvez ?

Il hocha la tête.

— Ce qui importe, c'est que je suis là. Et que je reste.

Elle pointa le menton avec défi, songea sans doute à argumenter, puis abaissa le regard sur sa chemise et en tripota un des boutons.

— Je n'ai pas le choix, je suppose.

— Ne soyez pas si dure envers vous-même.

Il lui releva le menton, la força à croiser son regard.

— Cela ne signifie pas que vous ne valez rien. Que vous ayez mis le feu à ce tapis, je veux dire.

— Et fait exploser un barbecue, renchérit-elle d'un ton morne.

— Seulement le couvercle, lui rappela-t-il, ce qui lui valut l'ombre d'un sourire. Allez. Recommençons depuis le début.

Il tendit la main.

— Je me présente : major Cole Standen. Mais appelez-moi Cole. Sauveteur professionnel. C'est ce que j'ai fait toute ma vie. Et ce que je sais faire de mieux.

— Brooke Callan, répondit-elle, demoiselle en détresse. Et c'est ce que je sais faire de mieux aussi, semble-t-il.

Sur quoi tous deux éclatèrent de rire, tandis qu'elle acceptait sa main tendue.

Cole disait vrai : toute sa vie, il l'avait passée en missions de sauvetage et aventures diverses.

Mais cette mission-là était différente.

Cette mission-là était une aventure du cœur. Mais il n'aurait su dire s'il en était heureux ou pas.

8.

— Il faut que je me change, bégaya Brooke.

— Je vous apporte de l'eau chaude ? proposa-t-il en vue d'une trêve qui, l'espérait-il, ferait repartir leur relation sur de bonnes bases.

— Ce serait merveilleux… si nous avions encore de l'eau chaude, avoua-t-elle d'un air piteux. Je m'en suis servie pour éteindre le feu. J'aurais dû…

— Stop ! Oubliez cette histoire d'eau chaude ! Allez mettre quelque chose de sec. Ensuite, nous nous occuperons des enfants.

De retour au rez-de-chaussée, il fit un rapide inventaire. Plus d'eau chaude. Très peu de bois. Un seul torchon de reste, et la vaisselle du dîner à faire. Quant aux matelas, ils étaient en vrac, des tonnes de jouets jonchaient le sol, et Molly l'informa d'un ton maussade qu'ils n'avaient eu pour dîner que des céréales sèches.

Il aligna les enfants devant lui, de la plus petite à la plus grande. Pas de doute, c'était bien le soulagement qui se lisait sur leurs visages. Le soulagement de le voir reprendre les commandes. Avoir fait la loi toute la journée paraissait, de plus, les avoir épuisés.

Après leur avoir fait comprendre qu'il n'écouterait aucune de leurs récriminations sur la journée écoulée, il assigna à chacun une tâche.

— Saffron, Darrance, prenez des torches et allez rassembler du petit bois. Il doit y avoir plein de branches par terre, avec la tempête. Mais juste de quoi tenir la nuit. Mettez-vous ces sifflets autour du cou et ne vous perdez jamais de vue. Je vous veux de retour dans un quart d'heure.

Deux petites voix hurlèrent : « A vos ordres, chef ! » tandis que le frère et la sœur se bousculaient pour sortir. Darrance avait l'air de se croire sorti d'affaire. Ce en quoi il se trompait.

— Calypso, viens avec moi, nous allons nous occuper du barbecue.

Calypso bomba le torse, tout fier. Et sans doute certain, lui aussi, de ne pas être puni pour avoir momifié sa petite sœur.

— Moi aussi veux faire, lança une petite voix.

Ce soir, Kolina était vêtue d'une chemise de nuit de flanelle rouge sur laquelle — ô surprise ! — une multitude de dalmatiens folâtraient. Toujours coiffée d'une grosse chaussette de laine enfoncée jusqu'aux oreilles, elle était positivement adorable.

Cole mit un genou à terre et la regarda droit dans les yeux.

— Toi, je t'ai réservé le travail le plus important : ranger tous les jouets, là, dans ce coin.

— Y sont pas à moi ! protesta-t-elle de sa petite voix flûtée, avec un battement de cils enjôleur.

— Et lorsque tu auras fini, reprit-il non sans difficulté tant il avait de mal à résister à sa petite frimousse, tu choisiras l'histoire de ce soir. Tu as des livres dans ta chambre ?

Elle hocha la tête avec enthousiasme.

— Alors monte vite en chercher un. Vite, vite ! Une histoire de lapinous, ce serait bien, tu ne crois pas ?

— Oh, oui, des lapinous, acquiesça la petite dans un soupir de ravissement, avant de décamper à toutes jambes.

— Mamie, vous êtes de corvée de feu et de bébé.

— A vos ordres !

— Comment avez-vous fait pour enjôler Kolina à ce point ? s'étonna Brooke qui venait de descendre. Tout ce que j'ai pu obtenir d'elle aujourd'hui, c'est un regard noir et un mot qu'elle n'est même pas censée connaître, et encore moins répéter !

— Ne vous y trompez pas, il me faut toute ma discipline de soldat pour ne pas me laisser entortiller par cette petite diablesse. Un jour, elle sera une vraie menace pour mes semblables, c'est certain.

Et en parlant de menace, mieux valait éviter de fixer Brooke qui, étrangement, n'avait plus rien à voir avec la femme sur le point de s'effondrer, débusquée dans une salle de bains quelques minutes plus tôt, ni même avec celle déterminée à passer pour un épouvantail hier, ou encore avec celle qui lui était apparue le premier jour sur le seuil, débraillée et un rien de guingois. Il avait toujours su que derrière se cachait une vraie beauté, et il ne s'était pas trompé.

Elle portait un jean ajusté qui lui donnait l'allure élancée et svelte digne des plus célèbres mannequins. Un pull crème, dont l'encolure en V s'ouvrait discrètement sur un généreux décolleté. Ses cheveux, brossés avec soin, se déversaient, étincelants, sur ses épaules, et ses traits paraissaient mis en valeur par un très discret maquillage — yeux immenses, pommettes saillantes, et lèvres qui donnaient l'impression qu'elle venait juste de les humecter…

— Ah, enfin ! s'écria Molly, exprimant la pensée qu'il n'osait lui-même avouer.

Il dut faire un effort sur lui-même pour se souvenir qu'il était venu, avant tout, pour rétablir l'ordre. Puis pour aider Brooke à reprendre confiance en elle. Il ignorait par contre où situer la scène où il l'embrasserait jusqu'à ce qu'elle crie grâce. Probablement nulle part.

— Le plus urgent est de refaire chauffer de l'eau. Et si vous voulez bien, vous vous chargerez de la vaisselle pendant que je fais cuire les steaks.

Il sortit, accompagné de Calypso, alla décrocher du bord de la piscine la perche du balai-aspirateur, et expliqua au garçon comment s'en servir pour tenter de repêcher le couvercle du barbecue. Puis il inspecta les dommages causés.

En dehors de la perte du couvercle, ils étaient moins graves qu'il ne l'avait craint. Le souffle de l'explosion s'était évacué en hauteur, et la cuve était intacte. Il vérifia et resserra tous les branchements, puis l'alluma, constatant avec plaisir qu'il fonctionnait à merveille. Puis il l'éteignit, et appela :

— Brooke ?

La jeune femme passa une tête par l'encadrement de la porte, soupçonneuse.

— Venez ! Nous allons essayer d'allumer le barbecue.

Elle eut un mouvement de recul et agita un torchon.

— Navrée, je suis occupée. Vous voyez bien.

Mais il n'avait pas de temps à perdre à essayer de la convaincre, et c'est d'un ton tranchant issu de vingt années de commandement qu'il décréta :

— Dehors ! Immédiatement !

Elle ouvrit la bouche, la referma, l'ouvrit de nouveau. Une bonne dizaine de reparties lui vinrent à l'esprit, et chacune d'elles se refléta dans son regard. Mais elle n'en énonça aucune. Non. Elle inspira profondément, lâcha son torchon et sortit sans un mot.

Cole avait appris une chose dans sa vie : l'esprit humain était fragile. Certaines mésaventures, comme des chutes de cheval — ou même des explosions de barbecue —, pouvaient aisément le mutiler. Le moindre échec, même insignifiant, pouvait s'amplifier au fil des années pour peu que l'esprit le rejoue, l'analyse, le ressasse encore et encore. La peur pouvait briser l'esprit humain.

La sagesse conseillait de toujours remonter à cheval après une chute. Le même principe valait donc aussi pour les barbecues.

Il entraîna la jeune femme jusqu'à l'appareil, lui expliqua de nouveau son fonctionnement, quelle erreur de manipulation elle avait commise, et surtout comment ne pas la réitérer, et enfin comment vérifier tous les branchements et s'assurer qu'il n'y avait pas de fuite de gaz.

Elle sentait bon. Pas le parfum, mais le savon. Et une fragrance plus subtile et suave qu'il ne pouvait définir que comme celle d'une femme.

Puis il lui donna les allumettes et retourna dans la maison, sous prétexte d'aller chercher les steaks.

L'observant en douce par la fenêtre, il la vit frissonner, jeter un coup d'œil inquiet à Calypso, hésiter. Il crut alors l'avoir méjugée, n'avoir pas pris suffisamment en compte les épreuves qu'elle avait traversées. Mais non. Elle prit une profonde inspiration, tourna la valve pour libérer le propane, la referma aussitôt, prit une nouvelle inspiration, gratta l'allumette, rouvrit la valve.

L'appareil s'alluma, et elle rit, radieuse, jetant un coup d'œil furtif vers la maison.

Cole revint avec l'assiette de steaks comme si de rien n'était et ne fit aucun commentaire. Mais l'un comme l'autre savaient qu'un grand pas venait d'être franchi.

Elle lui rendit les allumettes sans un mot. Comme leurs mains s'effleuraient, elle s'écarta vivement, puis alla s'agenouiller auprès de Calypso au bord de la piscine, offrant à Cole le spectacle enchanteur d'un jean tendu sur des formes parfaites.

Et tandis qu'elle se penchait, il eut un véritable aperçu de qui elle était vraiment : pleine de vie, rieuse, taquine. Incapable d'atteindre le couvercle, elle s'essaya à plusieurs techniques toutes aussi invraisemblables les unes que les autres puis, enfin bien inspirée, elle l'éclaboussa de manière à le faire voguer en direction de Calypso.

Nom d'un chien, si elle ne faisait pas plus attention, elle allait de nouveau se retrouver trempée et alors…

Enfin, elle bloqua le couvercle contre le bord, Calypso l'empoigna, et tous deux le lui ramenèrent comme s'il s'agissait d'un trophée sportif.

Cole le remit en place, conscient tout à coup qu'elle l'observait avec autant d'attention que lui un peu plus tôt. Si bien qu'il ne put résister à la puérile impulsion de gonfler sans nécessité aucune ses biceps, ce qui eut — et il ne fut pas mécontent de le constater — son petit effet.

Brooke regardait les biceps de Cole se durcir tandis qu'il replaçait le couvercle du barbecue comme s'il s'agissait d'un spectacle artistique. C'était un homme superbement bien bâti. Mais plus qu'un corps sain, elle soupçonnait en lui un esprit tout aussi sain.

Elle humecta ses lèvres, le surprit à l'observer et détourna les yeux avant de prétexter une tâche urgente à l'intérieur.

Une fois dans le salon, elle médita sur ce que Cole Standen attendait d'elle.

Qu'elle lui fasse confiance. Mieux même, qu'elle *se* fasse confiance. Ce qu'elle redoutait bien plus que de tenir de nouveau cette allumette enflammée au-dessus d'un réservoir de propane. Pourtant, cette peur-là, elle l'avait vaincue. Pouvait-il en être de même dans les autres domaines de sa vie ?

Il était déjà tard lorsqu'ils s'installèrent tous ensemble devant la cheminée pour mastiquer avec contentement leurs steaks. Brooke était assise à côté de Cole et sentait sa cuisse musclée tout contre la sienne. Elle ne bougeait pas. Une manière en quelque sorte de lui accorder cette confiance, et de se l'accorder aussi à elle-même, se persuada-t-elle.

— C'est meilleur que des céréales ! laissa tomber Saffron d'un ton à peine aimable.

— Vous n'auriez pas eu que des céréales si vous m'aviez obéi ! rétorqua Brooke, désinvolte, les yeux clos pour mieux savourer sa viande grillée ainsi que l'odeur qui émanait de l'homme assis à son côté.

Une odeur de sauce barbecue, de fumée, et aussi de propreté et de puissance, odeur qu'elle ne pouvait identifier que comme celle d'un homme.

Elle prit conscience de l'inconfortable silence qui régnait, ouvrit les yeux, et constata qu'elle était bien la seule à continuer à manger. Les enfants la regardaient avec de grands yeux suppliants.

— Personne n'a obéi à Brooke ? questionna alors Cole, avec une désinvolture qui, elle, ne présageait rien de bon.

— Moi si, affirma Kolina d'un air angélique.

— C'est pas vrai ! la contredit Saffron. Lorsque Brooke t'a dit d'arrêter de sauter sur le canapé avec tes chaussures pleines de boue, tu lui as tiré la langue et tu l'as traitée de « tête de caca » !

— Tu as dû mal entendre, Saffron, voulut intervenir Brooke.

— Ça non alors !

— Roulée dans paper tolette, tenta d'expliquer la fillette dans l'espoir de se disculper.

— Et toi, Saffron, accusa à son tour Darrance, tu t'es maquillée avec les trucs de maman au lieu d'aider à préparer la salade et après, t'as dit qu't'allais te percer le nez. Avec une aiguille à tricoter !

— A coudre, idiot ! rectifia Saffron, deux secondes avant de lui décocher un regard meurtrier en s'apercevant qu'elle venait de se trahir par sa faute.

— Ne t'inquiète pas, je savais bien que tu ne te percerais pas le nez, Saffron, voulut la rassurer Brooke.

Elle jeta un coup d'œil à Cole. Cils baissés, il considérait tour à tour les dénonciateurs de manière d'autant plus intimidante qu'il n'avait encore rien dit. Et plus il demeurait silencieux, plus les langues se déliaient, chacun s'efforçant de rentrer en grâce au détriment d'un frère ou d'une sœur.

Saffron retourna à Brooke un regard de reconnaissance. Mais elle n'en avait pas encore fini avec son frère.

— T'as été le pire, Darrance ! Qui c'est qui a ramené le tas de boue dans l'entrée et qui a fait plein de traces dans l'escalier même quand Brooke lui hurlait après ?

— Je n'ai pas hurlé, protesta Brooke. Enfin, pas exactement.

— Si, exactement ! confirma Darrance, de fort mauvaise humeur à présent.

Il était trop tard, de toute façon, pour les empêcher de s'enfoncer les uns les autres. Cole les écoutait, impassible, si austère que la jeune femme le crut d'abord en colère. Puis elle sentit le léger tremblement de son épaule tout contre la sienne, et, à l'observer plus attentivement, vit sa bouche tressauter de manière plus que suspecte comme les accusations devenaient de plus en plus insensées et virulentes. Le fou rire était proche.

— Suffit ! s'écria-t-il soudain. J'en ai assez entendu ! Vous avez tous été odieux. Chacun de vous, à l'exception, peut-être, de Mamie et de Lexandra.

Brooke coula un regard à Molly, laquelle s'efforçait de ne pas montrer à quel point elle s'était réjouie de la mutinerie de ses petits-enfants.

— Lexandra a pas été si sage que ça ! protesta Calypso. Elle a fait des tas de Codes Kaki. Et vomi, aussi. Est-ce qu'on a un code pour ça ?

— Pas encore, indiqua Cole. Vous savez, vous me décevez tous beaucoup. Vous avez été méchants avec Brooke, alors qu'elle ne voulait que vous aider.

Les trois grands affichèrent des mines de chiens battus, et Kolina se mit à pleurer. Cole la prit dans ses bras, d'où elle nargua les autres avec une sournoise satisfaction, le pouce dans la bouche.

— Qu'est-ce que cela mérite, à votre avis ?

— Fessée ! Eux, pas moi, suggéra Kolina le temps d'ôter et de remettre son pouce dans sa bouche.

— Je comprends mieux à présent pourquoi tes frères voulaient te momifier, plaisanta Cole. Et je ne donne pas de fessées.

Au vif soulagement qui s'afficha sur les petits visages pétrifiés, les épaules de Cole tressautèrent de plus belle.

— Une autre suggestion ?

— Plus de lapinous. Eux. Pas moi, intervint de nouveau la fillette.

— Laisse un peu la parole aux autres, ordonna Cole. Quelqu'un d'autre ?

— T'as qu'à nous priver d'trucs. Plus de téléphone. Plus de télé. Plus de CD, proposa Saffron.

— Je te rappelle que nous n'avons plus de courant, lui fit remarquer Cole. Donc plus de téléphone, plus de télé, plus de CD non plus.

— Oh ! fit mine de s'étonner la fillette.

— Darrance ?

— T'as qu'à nous faire courir avec des sacs à dos de vingt kilos sur le dos. Comme à l'armée, suggéra le garçon, presque enthousiaste.

— Si tu portes Lexandra et Kolina, cela te fera à peu près vingt kilos, indiqua Cole. Toujours partant ? Et toi, Calypso ? enchaîna-t-il comme le soldat en herbe secouait frénétiquement la tête. Une idée ?

— Ouais. Y a qu'à attacher Darrance à un arbre et lui donner chacun not' tour un coup de bâton et ensuite…

— J'ai compris, se hâta de couper Cole. Brooke, vous souhaitez peut-être dire quelque chose ?

La jeune femme secoua la tête en roulant de grands yeux. Qu'elle ouvre la bouche et ce serait pour éclater de rire.

Cole fixa le plafond quelques instants, l'air de réfléchir intensément, puis annonça :

— O.K. Voilà ce que je pense. Ce soir, vous allez tous vous excuser de vous être mal conduits avec Brooke et demain…

Il leva la main comme tous hochaient la tête avec enthousiasme.

— … et demain vous ferez tout ce qu'elle voudra. Petit déjeuner au lit. Boissons à volonté. Et Codes Kaki à sa place.

Il y eut, cette fois, un silence maussade.

— D'accord ?

— D'accord, marmonnèrent-ils l'un après l'autre.

— Parfait. Kolina nous a choisi une histoire pour ce soir : *Un bébé chez les Lapinous*.

— Ça fait partie de la punition ? gémit Calypso.

— Saffron, tu veux bien la lire, s'il te plaît ? reprit Cole.

Puis il se leva brusquement et sortit en flèche du salon.

— Je reviens, lança Brooke non sans se mordre la langue pour s'empêcher de rire.

Elle suivit Cole hors de la pièce, le retrouva en bas de l'escalier, une main sur la rampe, à demi plié, les épaules secouées par ses efforts pour maîtriser son hilarité. Puis il se redressa, la prit par la main et l'entraîna au-dehors, sur la pelouse.

Enfin, lorsqu'ils furent assez loin, il rejeta la tête en arrière et explosa de rire. La jeune femme l'imita. Ils rirent jusqu'à en être pliés en deux. Et lorsque l'hilarité de l'un était sur le point de se tarir, l'autre imitait d'une petite voix :

— Plus de lapinous. Eux. Pas moi.

Ou encore :

— T'as qu'à nous priver d'trucs.

Un bon quart d'heure plus tard, Cole passa un bras autour des épaules de Brooke, et ils reprirent le chemin de la maison. C'était agréable de sentir ce bras autour d'elle, puissant et tiède, comme s'il était là à sa place. Depuis toujours.

— Sûre de pouvoir retourner là-dedans sans flancher ? questionna-t-il à l'entrée.

— Sûre. Du moment que vous ne dites pas « Y a qu'à attacher Darrance à un arbre et lui donner chacun not' tour un coup de bâton » !

Le fou rire les reprit de plus belle, et ils durent attendre encore cinq bonnes minutes avant de pouvoir enfin regagner le salon.

Une heure plus tard, ils étaient tous deux assis sur le canapé, les enfants confortablement nichés sous leurs couvertures.

Brooke avait reçu de chacun d'eux de sincères excuses, les plus émouvantes étant celles de Kolina, qui lui avait remis un dessin de cœur autour des lettres BABCKM, lesquelles signifiaient, l'avait informée la fillette, qu'elle l'aimait encore plus que les lapinous et ne serait plus jamais méchante.

Mais la fatigue avait eu raison de la jeune femme. Des enfants rebelles, une explosion de propane et un tapis en feu, sans oublier ce qu'elle avait dû exiger d'elle-même, pour accorder sa confiance ! Aussi annonça-t-elle en bâillant qu'elle allait se coucher.

Mais comme elle se levait du canapé, Cole lui saisit le poignet, et tira d'un petit coup sec. Surprise, elle oscilla dans sa direction. Assez pour que, d'un geste prompt, il effleure ses lèvres d'un rapide baiser.

Brooke s'écarta vivement, abasourdie. Ce simple effleurement avait été comme une décharge électrique, bien plus effrayante qu'une explosion de barbecue ou qu'un début d'incendie.

Elle porta les doigts à ses lèvres encore brûlantes et s'exclama dans un chuchotement :

— Pourquoi avez-vous fait ça ?

— Je voulais savoir quel goût vous aviez, chuchota-t-il en retour.

Il y eut, derrière eux, un gloussement à peine discret et Brooke, sur un dernier regard perplexe, s'empressa d'aller se réfugier sous son édredon, tout habillée.

Mais bien qu'elle soit exténuée, le sommeil la fuyait à présent. Cole l'avait embrassée ! Elle avait été odieuse avec lui, un véritable désastre, et, ce soir, les lèvres de Cole Standen lui avaient dit que rien de tout cela n'importait.

— Essayez le déshabillé rose, demain, lui chuchota tout à coup Molly.

Les yeux clos, Brooke feignit d'être profondément endormie. Mais le goût de framboises sauvages des lèvres de Cole s'attarda sur ses lèvres, tandis qu'elle tournait et retournait dans sa tête l'éternelle question : passerait-il le test ?

9.

Le lendemain matin, Cole s'éveilla face aux désormais familiers yeux bleus de Kolina à quelques centimètres des siens.

Elle l'accueillit d'un sourire radieux, enchantée qu'il daigne enfin se joindre à elle dans l'univers de l'éveil.

— Lapinou ? lança-t-elle d'une petite voix pleine d'espoir, le livre à la main.

Il souffrait d'un mal de crâne digne d'un lendemain de cuite, et blâmer Lapinou serait plus commode que blâmer la jeune femme, là-bas, enroulée dans sa couverture. Elle avait, imprimés sur une joue, les plis de son oreiller, ses cheveux s'étalaient en tous sens, son Rimmel avait formé des traînées sombres sous ses yeux, mais comme elle était belle !

— Lapinou ? insista Kolina. S'te paît…

Comment résister ?

Il raconta donc l'histoire de M. Lapinou tandis que le reste du campement s'éveillait peu à peu, tout en observant à la dérobée Brooke papillonner des paupières, soupirer, bâiller, s'étirer. Prise entre éveil et sommeil, elle fronça les sourcils, jeta un regard endormi autour d'elle, enfouit de nouveau la tête sous son oreiller.

Il n'imaginait pas plus charmante vision au réveil. Et voilà qu'elle le regardait en douce. Il lui adressa un discret clin d'œil, et la vit disparaître promptement sous l'oreiller.

Essayez donc de développer une idylle en présence de cinq gosses et d'une grand-mère indiscrète ! Impossible !

Et puis… une idylle ? La romance, c'était pour les hommes jeunes. Ou pour ceux qui s'y connaissaient en fleurs, en compliments, en dîners aux chandelles et en valses. Rien que d'y penser, il avait envie de rentrer sous terre !

Pourquoi ne pas tout simplement capituler et s'abandonner à ce qu'il ressentait ? suggéra une petite voix en lui.

Parce que ce n'était pas ainsi qu'il menait sa vie. Sa vie n'avait été qu'une succession d'événements planifiés, contrôlés. Les mots « capitulation » et « idylle » n'appartenaient pas à son vocabulaire.

Du moins jusqu'à il y a quelques jours, lorsque ces enfants étaient venus frapper à sa porte. Mais peut-être n'était-ce pas seulement ces enfants qui étaient venus frapper à sa porte. Peut-être était-ce la vie, qui l'invitait à revenir dans le jeu, ayant soudain pris pitié d'un homme si solitaire qu'il n'avait eu le bon sens d'en prendre conscience que lorsqu'une famille toute faite avait été déversée sur son paillasson, une nuit de tempête.

Toujours est-il qu'il aspirait aujourd'hui à des choses auxquelles il n'avait jamais aspiré jusqu'ici. Qui aurait cru que des rires d'enfants pouvaient réchauffer un cœur à ce point ? Ou que la chaleur d'un petit corps de bébé contre le torse d'un homme puisse lui donner l'impression que sa vie avait un sens qu'elle n'avait pas auparavant ?

Qui aurait cru que regarder une femme, sentir son parfum, effleurer sa cuisse, puisse donner à un homme l'impression d'être à ce point en vie ? A ce point plein d'espoir, et conscient d'une nouvelle route qui s'ouvrait peut-être devant lui ?

Autant de pensées qui le ramenaient... au goût des lèvres de Brooke.

Sur un dernier regard, il se força à se lever afin d'aller préparer le petit déjeuner. Quelques minutes plus tard, alors que Brooke était montée se rafraîchir à l'étage, il entendit la porte d'entrée s'ouvrir. Allons bon, soupira-t-il, Lexandra sous le bras, quelle autre surprise la vie lui apportait-elle ?

Il ne vit tout d'abord que deux immenses paquets de couches. Et ce ne fut que lorsqu'il les eut mentalement accueillis avec l'enthousiasme que l'on réserve habituellement à la cavalerie qu'il accorda son attention aux deux femmes qui les apportaient.

Deux femmes d'âge mûr, chargées de provisions, débordantes d'énergie et de bonne humeur et qui se présentèrent comme Monique, la gouvernante, et Brenda, la nourrice.

Brooke descendit l'escalier, plus attrayante que jamais dans une chemise blanche retroussée jusqu'aux manches. A l'évidence, elle connaissait bien les deux arrivantes, qu'elle accueillit avec effusion. Avant d'embrasser elle aussi les deux paquets de couches !

— Vous n'avez pas encore d'électricité ? s'étonna Monique. Les ouvriers, sur la route, nous ont pourtant dit que le dernier poteau électrique avait été redressé hier.

Elle actionna l'interrupteur de l'entrée... et Cole se sentit soudain très bête. Pourquoi n'avait-il pas, lui, l'expert en catastrophe, vérifié dès ce matin que l'électricité avait bien été rétablie ? Mais non ! Il avait continué à suivre le « plan survie ». Cependant, il ne le regrettait pas. Ce qui les liait les uns aux autres, ce qui avait fait naître cette amitié entre eux, c'était cette panne de courant. Avec l'électricité rétablie et cette aide en provenance de la ville, Brooke n'avait plus besoin de lui. Les circonstances l'avaient propulsé « sauveteur » et avaient transformé Brooke en « rescapée à secourir » ; sans cette équation, que restait-il de leur relation ?

Brooke n'aurait plus besoin de lui.

Il chercha son regard. Elle avait l'air aussi dévastée que lui. Regrettait-elle aussi ces moments particuliers ?

A l'inverse, les enfants n'en pouvaient plus de joie !

— Je vais rester au moins une heure sous la douche ! s'écria Saffron. Et ensuite, je me sécherai les cheveux au sèche-cheveux et je me coifferai au fer à friser !

Calypso se précipitait déjà dans l'escalier.

— J'prends la Nintendo ! James Bond, et après Mario Bros, et après…

Sa voix s'estompa, tandis que son frère émergeait des sacs de provisions les bras chargés de boîtes.

— Moi j'vais faire des minipizzas au micro-ondes. Et puis du pop-corn !

— Télé marche ? demanda Kolina à sa nourrice. Damachiens ?

— Chauffons un peu cet endroit et, ensuite, va pour les *101 Dalmatiens*, accepta Brenda.

Quelques secondes plus tard, d'agréables bouffées de chaleur montaient du sol, tandis que Cole regardait chacun des enfants aller son propre chemin. Ces enfants qui étaient devenus si importants à ses yeux. Qui avaient eu besoin de lui. Jusqu'à maintenant. Et qui, à présent, semblaient l'ignorer. Il en éprouva un petit pincement au cœur qu'il s'efforça d'oublier.

Tout à coup, Brooke et lui se retrouvèrent seuls dans l'entrée.

— Je crois que je préférais avant, murmura-t-elle.

Cole éprouvait aussi une étrange sensation de perte, mais il ne voulut rien en laisser paraître — surtout en sa présence ! — et se moqua d'elle :

— Allons donc ! Je suis sûr que vous mourez d'envie de prendre un bon bain chaud !

— Vous plaisantez ? Il faudra des heures avant qu'il y ait assez d'eau chaude pour Saffron !

— L'électricité change tout, observa alors Cole. Dans les villages du tiers-monde, les parents jouent avec leurs enfants et, le soir, tout le village se rassemble devant les conteurs. Apportez l'électricité, et chacun reste chez soi devant sa télé.

— Ou sa Nintendo, ajouta tristement Brooke.

— Personne ne peut remonter le temps, reprit Cole. Si ce n'est au cours de quelques moments isolés et imprévisibles.

— Je suis heureuse d'en avoir vécu au moins un, murmura-t-elle alors, presque dans un souffle.

Qu'était-elle en train de dire ? Qu'elle avait apprécié ces jours difficiles pour elle ? Qu'elle avait été heureuse ? Peut-être même avait-elle apprécié sa présence ? Une crainte inconnue l'envahit brusquement, et il ne put la chasser que par le seul moyen qu'il connaissait : l'action.

— Bien, dit-il d'une voix ferme. Il ne me reste plus qu'à remonter les matelas à l'étage et, ensuite, j'aimerais emmener Molly en ville pour qu'un médecin l'examine. Je ne pense pas qu'il y ait de problème, mais mieux vaut être prudent.

Brooke hocha la tête, comme émergeant d'un rêve.

— Quant à moi, je dois aller récupérer ma voiture, annonça-t-elle. Mais je vais d'abord vous aider avec les matelas.

Il voulut lui répondre qu'il ne voulait surtout pas de son aide, mais il ne put se résoudre à un tel mensonge. Il ne demandait qu'à rester avec elle le plus longtemps possible...

Brooke se montra d'une inefficacité touchante mais néanmoins déterminée. Sans trop savoir comment, ils ramenèrent à l'étage et sur leurs sommiers respectifs les six matelas que Monique avait dépouillés de leurs draps.

— Où sont les draps propres ? s'étonna la gouvernante quelques minutes plus tard, revenue de la buanderie les mains vides. Et les torchons ?

Sans répondre, Cole et Brooke éclatèrent de rire.

— J'en achèterai en ville lorsque j'y emmènerai Molly, annonça Cole. Mais ne vous attendez pas à ce qu'ils viennent de la Maison de Bruce.

— Brian, corrigea distraitement Brooke, ce qui les fit de nouveau s'esclaffer, sous le regard abasourdi de Monique.

Ils retournèrent dans le salon qui, rendu à sa dignité de salon, paraissait étrangement désert après l'activité débordante des dernières soixante-douze heures. Même Molly n'y était plus.

Cole la trouva dans sa suite, le nez sur sa télévision, les pieds collés à un radiateur portatif soufflant à puissance maximale.

— Cela attendra, décréta-t-elle lorsque Cole lui proposa de l'emmener chez un médecin. J'ai déjà manqué trois jours de feuilleton, et je ne raterai pas un épisode de plus. Cassandra et John se sont mariés sans moi, et on a retrouvé Betty ! Elle souffrait d'amnésie parce qu'elle était tombée des escaliers après avoir surpris Blake et Vanessa en train de s'embrasser ! Trois jours ! Mon Dieu, il s'en passe, des choses, en trois jours ! Non ?

— Vous n'êtes pas sérieuse ?

Elle lui retourna un regard pénétrant.

— Vous savez ce que je pense ? reprit-elle d'une voix posée cette fois. Vous devriez passer la journée avec Brooke. C'est une brave fille, mais trop de sérieux et de travail l'ont épuisée. Sortez-la. Et faites-la un peu rire, pour l'amour du ciel !

Cole sourit. Brooke avait encore besoin de lui, semblait-il. Et faire rire une femme, ce n'était pas vraiment flirter avec elle, ni s'engager, même s'il venait d'apercevoir, dans le regard de Molly, une étrange lueur. Avait-elle quelque chose d'autre en tête ?

— Je vais y réfléchir, répondit-il en s'efforçant de ne pas avoir l'air trop enthousiaste. Mais qui va vous emmener chez le médecin, dans ce cas ?

— Oh, Monique peut le faire. Comme cela, nous parlerons feuilleton en chemin. Et hommes. Et peut-être même de vous.

— De moi ?

— Oui, de vous. Mystérieux et beau garçon comme vous l'êtes, vous pourriez jouer dans un feuilleton, vous aussi ! Mais n'en attrapez pas la grosse tête pour autant, conclut-elle, le congédiant d'un geste de la main et reportant son attention sur son écran.

Cole trouva Brooke dans la cuisine, où elle rangeait les provisions, Darrance attablé non loin d'elle, devant un amas d'emballages vides, l'air un peu malade.

— Hum, débuta-t-il avec l'impression, soudain, d'être redevenu l'écolier qu'il avait été, timide et maladroit en public. Si vous voulez, je peux vous reconduire à votre voiture.

Ce qui n'était pas du tout ce qu'il avait eu l'intention de dire.

— Mais non, voyons, ne prenez pas cette peine. Monique peut très bien le faire.

Il abaissa les yeux, fit mine d'examiner son pouce, les releva, les détourna.

— C'est que… Molly a l'air de penser que… que vous avez peut-être besoin de détente.

— Molly pense que… Moi ?

100

Cole s'avisa, un peu tard, que l'idée aurait sans doute été mieux perçue s'il l'avait présentée comme venant de lui et non de Molly, mais il était trop tard.

— Oui, enfin, vous savez bien. Avec ce que les enfants vous ont fait subir hier et tout ce bouleversement, prétexta-t-il, sentant qu'il s'enfonçait davantage.

Mais pourquoi n'était-il pas capable de dire, tout simplement : « Parce que j'aimerais passer un peu de temps avec vous » !

Brooke se taisait, le visage fermé.

Sachant qu'elle ne viendrait pas à son secours, il reprit :

— Et puis, hum…

Il prit une profonde inspiration, avant de se décider.

— … j'ai comme l'impression que cela ne me ferait pas de mal, à moi non plus, de prendre un peu de bon temps.

— Vraiment ? répliqua-t-elle d'un ton sec.

— Avec vous.

Elle l'observa quelques instants, et se décida enfin à lui sourire.

— J'ai un bateau, s'empressa-t-il d'ajouter. Et je me demandais si cela vous dirait d'aller faire un tour sur le lac aujourd'hui ? Nous pourrions pêcher quelques poissons, et ensuite dîner chez moi.

— Super ! J'viens pêcher avec vous ! s'écria aussitôt Darrance.

— Pas cette fois, petit. Cela vous dit, Brooke ?

— Oui, accepta-t-elle aussitôt.

Puis elle s'empourpra, sans doute de crainte d'avoir répondu trop vite.

— Mais pour ce qui est de pêcher, je suis nulle, vous savez.

— Les poissons en seront enchantés, plaisanta-t-il, ce qui lui valut un autre sourire.

Ainsi, elle tenait elle aussi à ce qu'ils se revoient ? Nom d'un chien ! Il l'avait sûrement déçue ! Qu'est-ce qui lui avait pris de parler de pêche ? Mieux valait l'emmener dîner en ville. Et peut-être aussi… Mais qu'y avait-il d'autre à faire en ville ? Creston était une petite bourgade d'à peine cinq mille habitants. Très pittoresque, mais sans rien qui puisse rivaliser avec ce dont elle avait l'habitude à Los Angeles.

A part le bowling, peut-être.

— A moins que vous ne préfériez aller au bowling ?

— Non ! Aller à la pêche me convient très bien. Ce sera très excitant !

Pêcher était relaxant, distrayant, au mieux. Mais excitant ?

— Vous savez, si vous préférez sortir dîner, il y a un ou deux endroits décents en ville, et…

— Non, non, aller à la pêche m'a l'air fantastique !

Bon sang ! Voilà qu'il lui fallait fournir du fantastique, à présent !

Il consulta sa montre.

— Disons à… 14 heures ? Je viendrai vous chercher.

— Oh, vous n'avez pas besoin de venir me chercher, voyons. Je trouverai bien mon chemin jusqu'à votre ponton.

— J'y tiens.

Et c'était vrai. Il tenait à être avec elle. A traverser la forêt avec sa main dans la sienne. A lui montrer son univers.

— D'accord.

Voilà, il l'avait fait. Il avait son premier rendez-vous. Mais il partit aussitôt, de crainte de changer d'avis.

Trois heures plus tard Brooke vomissait tripes et boyaux.

— Est-ce que ça va ? lui cria Cole de la cabine de pilotage.

Le roulis était arrivé de nulle part, alors que, jusque-là, la journée avait été sereine, les eaux calmes. Mais un vent violent s'était soudain levé, transformant le clapotis en houle, et, à présent, la proue du bateau plongeait dans des creux de près de un mètre.

— Très bien, prétendit-elle bravement.

Une fois déjà, il avait coupé le moteur pour venir l'assister, ce qui avait eu pour résultat de faire tanguer davantage le bateau, tel un bouchon de liège dans une baignoire.

— J'aurais mieux fait de choisir le bowling ! plaisanta-t-elle d'un ton plaintif.

Tout avait si bien commencé, pourtant.

Pêcher, tout compte fait, s'était avéré riche en contacts, tandis qu'il lui expliquait comment lancer la canne, avec les bras autour d'elle pour accompagner le mouvement. Non vraiment, tout était parfait jusqu'à ce que l'eau commence à s'agiter furieusement contre la coque.

Sans être pour autant très à l'aise sur ce bateau qui ne restait jamais en place, Brooke essayait de se persuader que tout allait bien, même si son estomac commençait à prétendre le contraire.

Puis un poisson avait mordu à l'hameçon. Et c'était lorsque Cole l'avait sorti de l'eau, tout gluant, les yeux globuleux et la bouche désespérément ouverte en quête d'air, qu'elle avait compris qu'elle allait vraiment être malade !

Une seconde plus tard, elle plongeait la tête par-dessus bord, et hoquetait jusqu'à en recracher ses poumons, tandis que la casquette de Shauna, dédicacée par le meilleur lanceur des Dodgers, s'éloignait au gré du courant.

La seule sensation agréable avait été la main de Cole qui était restée sur sa nuque, chaude, rassurante.

— Je… je suis navrée, s'excusa-t-elle, réfugiée à présent à l'arrière. J'ai tellement honte, si vous saviez !

— Pourquoi ai-je le sentiment que rien avec vous n'ira jamais comme je l'avais prévu ? plaisanta-t-il.

— Pourquoi ? Qu'aviez-vous prévu ?

— Naviguer paisiblement. Découvrir tout ce qu'il y a à savoir sur vous. Quelles études vous avez faites, quel genre de fleurs vous aimez, où vous avez grandi, comment vous vous êtes retrouvée à Hollywood.

— Rassurez-vous, vous ne ratez pas grand-chose, murmura-t-elle en époussetant son pantalon.

La veste Calvin Klein de Shauna n'avait pas vraiment bien supporté l'aventure non plus, et Brooke gémit : il lui faudrait, en plus, subir les foudres de sa patronne !

— Mais ce n'aurait été qu'un début, reprit Cole, dans l'intention, elle le devina, de la distraire du roulis que son estomac persistait à vouloir imiter. Parce que je prévoyais aussi un peu de « main dans la main » et d'« yeux dans les yeux »…

— Oh, laissa-t-elle échapper, dans ce qui ressemblait de manière plus que suspecte à un râle.

— Et ensuite, j'aurais peut-être essayé de vous voler un baiser. Ou deux… Ou trois…

Mais son corps avait décidé, aujourd'hui, que le romantisme ne serait pas au rendez-vous, car à peine le mot « baiser » était-il sorti de la bouche de Cole qu'elle se plia de nouveau en deux par-dessus bord. Juste à temps, même si elle était certaine, désormais, que la veste en daim ne serait plus jamais la même.

— Ne… ne le prenez pas pour vous, hoqueta-t-elle. Cela n'a rien à voir avec ce que vous venez d'évoquer.

— Peu importe, parce que je n'y songe vraiment plus. Il y a plus urgent je crois. Je vais vous ramener au plus vite sur la terre ferme. Et vous savez quoi ? Nous en sommes encore loin !

— A quelle distance ? questionna-t-elle d'un ton morne.

— Je dirais à peu près une heure, si les eaux restent calmes.

« Restent calmes » ? Parce qu'il appelait ça « des eaux calmes » ?

Brooke se demanda ce qu'elle avait bien pu faire de mal pour être ainsi punie. L'homme le plus sexy de la planète l'invitait à passer l'après-midi avec, à l'évidence, des intentions romantiques, et il lui arrivait *ça* ?

Mais tandis qu'il jetait un coup d'œil par-dessus son épaule dans sa direction, elle perçut, dans la tendresse de son regard, une nuance qu'elle n'y avait encore jamais vue. Quoi qu'éprouve Cole Standen pour elle, c'était sans conditions. Il n'exigeait d'elle ni qu'elle soit parfaite, ni même qu'elle fasse ses preuves.

Et ce fut là, la tête penchée au-dessus de l'eau, qu'elle eut, pour la première fois, un aperçu de ce qu'était l'amour.

Des heures lui parurent s'écouler avant qu'elle ne sente la coque heurter le ponton, et c'est d'un regard trouble qu'elle vit Cole sauter à terre pour amarrer le bateau.

L'instant d'après il revenait auprès d'elle, glissait un bras sous ses épaules, et l'autre sous ses genoux. Elle voulut protester, mais n'avait plus aucune force. Et puis, la tentation de se blottir dans ses bras était trop forte.

Il rétablit son équilibre entre ses bras, descendit la passerelle. Lorsqu'il mit un pied sur la terre ferme, elle plaisanta :

— Posez-moi par terre, que je puisse embrasser le sol !

Il sourit.

— Attendez d'être chez moi, il y aura bien mieux à embrasser.

Avec un soupir, elle se lova contre le large torse, avec, de nouveau, ce si agréable sentiment d'être choyée sans avoir à le mériter. Malade comme un chien et gaie comme un pinson. Cette constatation la fit sourire malgré elle.

Comparé à la villa de Shauna, le chalet de Cole n'avait rien de grandiose, mais il plut d'emblée à Brooke, avec ses murs de rondins, ses portes-fenêtres en façade et, face au lac, une immense baie vitrée qui ouvrait sur une tout aussi vaste terrasse.

Après l'avoir déposée sur le canapé, puis recouverte d'un plaid, il plaisanta :

— Le vert vous va bien.

Il évoquait son teint, car elle ne portait rien de cette couleur, et tandis qu'elle grimaçait, il proposa :

— Que puis-je vous offrir à boire ? J'ai un excellent bordeaux Alka-Seltzer de 1969, ou une bière Alka-Seltzer de la même cuvée.

— Autant vivre dangereusement jusqu'au bout. Apportez-moi un verre de chaque.

Il sortit, reparut une minute plus tard avec un grand verre plein d'un liquide pétillant et mousseux. Elle y porta ses lèvres et sourit :

— Excellente cuvée.

— Merci.

Très vite, elle se sentit mieux, mais pas au point de faire honneur au poisson qu'il proposait de cuisiner pour le dîner. Alors, assis sur le canapé, ils se contentèrent de discuter, comme deux amis qui se connaissent de longue date.

Au bout d'un moment, elle se leva et se dirigea d'un pas encore un peu chancelant vers la salle de bains, où elle se nettoya du mieux qu'elle put. Quelques minutes plus tard, la bouchée rincée à la solution dentaire, elle se dit que le moment était peut-être enfin venu d'en arriver à ce qu'ils espéraient tous deux depuis la première seconde de leur rencontre.

Cole avait dû en arriver aux mêmes conclusions, car dès qu'elle revint s'installer près de lui, il l'embrassa. Non plus d'un effleurement, comme la veille, mais d'un véritable baiser.

Brooke ne se posa pas la question de savoir où la mènerait ce baiser, ni ce que désirait vraiment Cole — une simple aventure ? Un engagement plus sérieux ? — Non, tout ce qu'elle souhaitait, c'était se fondre dans ce moment. Que tout ce qui n'était pas ce moment disparaisse. Que tout ce qu'elle avait été jusque-là ne soit plus.

Parce que ces lèvres sur les siennes l'emportaient vers ce qu'elle allait enfin devenir : une femme audacieuse et sensuelle, sûre d'elle et de sa place dans l'univers.

Une femme aimée.

Le baiser s'approfondit, tendre et sauvage, et elle s'y abandonna. Il appelait en elle ce qui n'avait pas encore vu le jour, l'essence de ce qu'elle était et qu'elle ignorait encore.

Alors, enfiévrée, elle tira la chemise de Cole de son jean, glissa ses mains sur son abdomen plat, le long de son sternum, par-dessus ses pectoraux. Sa peau était comme de la soie tendue sur de l'acier, et ses doigts la caressaient, assoiffés, comme si, au terme d'une longue errance dans le désert, ils découvraient enfin une oasis.

Mais l'instant magique fut de trop courte durée. La sonnerie du téléphone les arracha à leur étreinte, les faisant sursauter.

Brooke releva la tête, désorientée.

— Ce n'est que le téléphone. Ignorez-le, murmura Cole.

Mais le téléphone sonnait toujours, leur vrillant le tympan.

La jeune femme releva de nouveau la tête. Stridente, la sonnerie lui tapait sur les nerfs. Impossible de savourer ce qui aurait dû être les minutes les plus parfaites de la journée !

— Et si c'était les enfants ? Ce doit être une urgence, sinon ils n'insisteraient pas à ce point.

Cole laissa échapper à la suite deux jurons certainement appris en compagnie de ses hommes, tendit la main, décrocha, puis aboya :

— Quoi ? Qui ?

Il écouta un long moment son interlocuteur sans un mot, la mine de plus en plus sombre. Toujours sans un mot, il raccrocha, croisa les mains sur son ventre, puis fixa longuement le plafond, de l'air d'un homme qui s'efforce de se maîtriser.

— Que se passe-t-il ? s'inquiéta Brooke.

— C'était votre patronne. Elle est de retour.

— Oh.

— Ici même, à la villa, d'où elle voit que mes fenêtres sont éclairées. Et elle s'étonne que nous n'ayons pas décroché tout de suite puisque, à l'évidence, nous sommes là.

— Oh.

— Il semblerait que nous soyons convoqués.

— Oh, répéta encore Brooke qui n'aurait su dire, à cet instant précis, ni qui elle était, ni où elle se trouvait.

10.

Les premiers instants de stupeur passés, Brooke ne trouva qu'un seul mot pour résumer sa pensée : « Non ! »

Le retour de Shauna allait entraîner le récit des derniers événements — et rien qu'à penser aux torchons ou à la veste, la jeune femme en avait des sueurs froides —, la présentation en règle du Grand Sauveteur de la famille, et, indéniablement... le test ! Et... non ! Elle n'était tout simplement pas prête !

Cet imprévu la contrariait, mais que dire de Cole ! Il foudroyait littéralement le plafond du regard, les sourcils froncés.

Puis, sans même un soupir, il se tourna vers elle, prit sa main, la porta à ses lèvres, puis lui souffla légèrement sur le pouce, d'un souffle aussi chaud et sensuel qu'une caresse. Ce geste, en plus d'être une promesse, évoquait tant, à propos de l'homme qu'il était, qu'elle dut lutter contre la folle envie d'arracher le cordon téléphonique du mur pour s'abîmer de nouveau dans la délicieuse sauvagerie de ses baisers.

Mais... ignorer Shauna ? Que Brooke ne retourne pas sur-le-champ à la villa, et d'ici quelques minutes, sa capricieuse patronne tambourinerait à la porte !

— Quel genre d'individu faut-il être, grommela soudain Cole, pour persister à vouloir déranger deux adultes majeurs qui ne répondent pas au téléphone ?

Le genre qui tenait à ce que rien de sérieux n'advienne avant qu'un certain test de caractère ait été conduit… et réussi ! pensa Brooke qui caressait, à cet instant précis, des désirs d'enlèvement et de fuite à l'autre bout du monde.

Mais il n'y avait, malheureusement, rien d'anormal au raisonnement de Shauna. « Mieux vaut le savoir serpent dès maintenant que trop tard », avait-elle dit de son ex-petit ami Keith. « Préférerais-tu le voir muer seulement après le « oui » fatal ? »

Sous ces dehors cavaliers, Shauna s'inquiétait réellement pour Brooke mais ça, Cole ne le verrait sûrement pas ainsi. Pire même, il prendrait sans doute comme une offense l'idée même que Shauna se targue d'un meilleur jugement qu'elle !

D'ailleurs, à bien y réfléchir, n'était-ce pas vaguement insultant, en effet ? Mais d'un autre côté, c'était oublier toutes ses tristes expériences passées.

— Elle s'inquiète pour moi, tenta-t-elle d'expliquer. Vous m'avez vue laissée à moi-même : explosions, incendies…

— Vous étiez totalement hors de votre élément, nuança-t-il. Je suis sûr qu'au travail, vous rayonnez de compétences !

— Merci, je suis en effet très professionnelle, concéda-t-elle sans fausse modestie, reconnaissante qu'il continue à le penser malgré le fiasco récent.

— Mais parfois, reprit-il d'une voix enjôleuse, vous êtes aussi très, très occupée… comme maintenant… Rappelez-la et dites-le-lui.

Il lui chatouilla de nouveau le pouce de son souffle, le saphir de ses yeux illuminé d'une petite lueur espiègle. Brooke laissa échapper un petit rire étranglé. Il n'y pensait pas ! Ce serait comme ignorer une injonction royale !

— C'est que…, hésita-t-elle, anxieuse de ne pas présenter la situation sous un trop mauvais jour, je n'ai pas exactement d'horaires fixes. Shauna appelle. J'arrive.

— Et votre vie privée ?

— Eh bien, pour être tout à fait honnête, je n'en ai pas.

— Et si vous décidiez d'en avoir une ?

Encore faudrait-il que le partenaire potentiel passe le test. Et le pire, c'était que Brooke y tenait aussi. Shauna, elle le savait, agissait par réelle affection, et ce qu'elle exigeait pour son assistante, c'était exactement ce qu'elle vivait avec Milton : franchise, amitié, communication, avec, pour faire bonne mesure, plus qu'il n'en fallait de passion.

— Je suppose qu'alors, il me faudrait la négocier avec Shauna. Ou chercher un autre emploi.

— Hmm. Et moi qui croyais appartenir corps et âme à l'armée ! Je ne sais même pas si je suis heureux ou triste que votre vie soit si pathétique !

— Hé ! s'insurgea-t-elle. Ma vie n'est pas pathétique !

— Votre vie privée, si, précisa alors Cole. Quoique… non, vous avez raison, « pathétique » est un peu exagéré pour quelque chose d'inexistant. Mais vous m'en voyez ravi !

— Et pourquoi seriez-vous heureux que ma vie privée soit si *inexistante*, je vous prie ?

— Aucune compétition. Aucun adversaire dans les coulisses. Rien de plus excitant que moi, murmura-t-il en se rapprochant de Brooke.

— Auriez-vous l'intention de flirter avec moi, major ?

— Oh ! que oui, affirma-t-il, portant l'intérieur du poignet de la jeune femme à ses lèvres pour le mordiller.

Ses lèvres étaient tièdes, fermes, et d'étranges frissons, lancinants, délicieux, irrésistibles, irradièrent par vagues successives dans le corps tout entier de Brooke qui ne se souvenait pas avoir perdu aussi vite le contrôle d'elle-même dans les bras d'un homme. Sa pathétique *inexistence*, tout à coup, s'emplissait aussi d'espoir et de promesses.

— Qu'est-ce que « flirter » signifie pour vous, exactement ? articula-t-elle avec peine, se forçant à retrouver ses esprits.

Il lui mordilla encore un peu l'intérieur du poignet, la regarda à travers l'épais rideau de ses cils à demi baissés.

— Faut-il vraiment que vous le demandiez ? se lamenta-t-il avec un soupir. Bon, vous l'aurez voulu. Que diriez-vous d'une partie de bowling ?

— Vous faudra-t-il m'enlacer pour me montrer comment jouer ?

— Je crois, oui.

— Alors je vais adorer le bowling !

— Ah ? Alors, commençons par les préliminaires...

Elle acquiesça d'un hochement de tête, puis s'avisa qu'il l'égarait. Un signal d'alarme clignota dans sa tête, portant un simple mot : « Test ! » Sachant qu'elle ne pourrait pas s'en débarrasser, elle s'arracha à contrecœur aux lèvres qui étaient remontées de son poignet à la tendre peau de son avant-bras, et se recula légèrement.

— Rappelez-la, suggéra-t-il de nouveau.

— Je ne peux pas.

Elle sauta sur ses pieds avant de perdre complètement la tête.

— Et pourquoi pas ?

Il la considéra nonchalamment et lui décocha un clin d'œil.

Un clin d'œil ! Y avait-il plus sexy qu'un homme qui vous décochait un clin d'œil, comme s'il connaissait toutes sortes de secrets à vous dévoiler ? Oh, Seigneur, aurait-elle assez de force pour partir ?

— Shauna est exigeante, mais elle me paie bien, très bien même.

— Est-ce ce pourquoi vous travaillez pour elle ? Pour l'argent ?

— En partie. Et en partie aussi pour l'excitation.

— Ah. Parce que vous en manquez dans votre vie personnelle. Mais nous pouvons y remédier.

— Au bowling ? le défia-t-elle, non sans reculer d'un pas.

— Non, après le bowling…

Elle recula, il avança, et… elle se retrouva bientôt dos au mur. Un frisson, alors, lui parcourut l'échine, et elle eut soudain la révélation de tous les plaisirs qu'il allait lui offrir. Tremblante, elle pria une dernière fois pour avoir le courage de résister, et plongea sous son bras en s'élançant vers la porte.

— Vous n'avez pas à m'accompagner, dit-elle vivement. Ce serait même mieux.

Bien mieux ! Le test attendra bien un jour de plus. Voire un mois. Un an. D'ailleurs, devait-il le passer ? Ne valait-il pas mieux s'interroger, savourer ses souvenirs, imaginer mille délices plutôt que *savoir* ?

Elle se rajusta, s'essuya les lèvres, puis jeta un triste regard à la veste de Shauna avant de l'enfiler de nouveau.

— Il n'en est pas question ! Je viens ! annonça-t-il. Je ne manquerais cela pour rien au monde !

— C'est bien ce que je craignais.

— Voyons, ce serait lâche de ma part de vous laisser vous expliquer seule, pour les torchons.

— Et les draps, lui remémora-t-elle. Et le tapis.

Et la veste, mais c'était bien la moindre de ses préoccupations pour l'instant. Un remords l'envahit soudain : devait-elle prévenir Cole pour le test ? Oui, mais à quoi servirait-il dans ce cas ?

Aussi se contenta-t-elle de puiser un peu de réconfort dans son expression, farouchement protectrice à son égard, et dans la chaleur de sa main dans la sienne tandis qu'ils empruntaient le sentier illuminé par le clair de lune. Une main si forte, si large, si sûre d'elle et si réelle !

« Fais-lui confiance, supplia son cœur. Un homme qui a une telle main n'est pas une girouette ! »

— Je suis navrée que cela se termine ainsi, s'excusa-t-elle comme ils arrivaient en vue de la villa.

— Quelque chose se termine ?

— Ce rendez-vous, je veux dire. Et vous devez probablement en remercier le ciel. Un vrai fiasco, n'est-ce pas ?

— Je ne le qualifierais pas ainsi, non.

— Comment, alors ? J'ai eu le mal de mer du siècle sur votre bateau. Je n'ai pas fait honneur au dîner et, pour couronner le tout, ma patronne nous a débusqués !

— Je dirais plutôt que la vie est pleine de surprises. Et la plupart du temps, c'est une bonne chose.

— C'est-à-dire ?

— Eh bien, par exemple, le clair de lune qui transforme vos cheveux en rivière d'argent, et vos yeux en lacs indigo. Voilà une agréable surprise.

Il se pencha vers elle, reprit ses lèvres. Et elle l'accueillit, lui répondit avec une fougue renouvelée, découvrant à chaque seconde la femme véritable qui était en elle : douce, exigeante, impatiente. Amoureuse.

Un brusque désir s'empara alors d'elle : ils allaient retourner au chalet et en verrouiller la porte contre le monde entier, les tests, et toutes les réalités en dehors de celle-là ! Soudain la porte d'entrée de la villa s'ouvrit, et un flot de lumière crue les inonda.

— Youhou ! Vous êtes là ?

Brooke s'écarta brusquement, ressentant presque physiquement le déchirement qui venait de se produire en elle.

— Qu'est-ce qui lui prend ? s'exaspéra Cole après quelques autres mots bien choisis.

— Elle doit juste être impatiente de vous rencontrer, Cole.

— Oui, eh bien, elle aurait pu avoir la courtoisie d'attendre que j'aie fini de vous embrasser !

— Attendre n'est pas le point fort de Shauna.

— Ah, et quel est donc son point fort ?

« Vous n'allez pas tarder à le découvrir, malheureusement », se désola en silence la jeune femme.

Cole se détourna à regret de Brooke pour faire face à la femme qui, sur le seuil, portait de manière théâtrale la main en visière pour scruter la nuit.

Son point fort était évident. Même de loin, elle était époustouflante, aussi parfaite qu'une poupée de porcelaine. Elle portait une espèce d'ample pyjama de couleur pêche tout à fait ridicule mais dont la vaporeuse étoffe, pourtant, mettait la moindre de ses formes en valeur, et ses longs cheveux noirs, semblables à ceux de Saffron, tombaient en un flou très artistique sur ses épaules.

Comme Brooke et lui s'avançaient, il se souvint brusquement de son visage, d'une stupéfiante beauté. D'immenses yeux bleus en contraste avec la crinière brune, une peau légèrement cuivrée. Et pour silhouette une pure aberration, car comment une femme dotée d'une si ample poitrine pouvait-elle avoir une taille si fine ?

Détail qu'il se souvint avoir déjà débattu, l'année dernière, juste avant de les chasser, elle et son Bikini, de sa plage.

Et il se souvint aussi avoir pensé la même chose qu'en cet instant : il y avait quelque chose, dans toute cette perfection, de vaguement irréel. Et pas la moindre ride, alors qu'elle avait une fille de presque douze ans !

Le miracle du Botox, conclut-il cyniquement.

— Ah, te voilà enfin, ma chérie ! s'exclama-t-elle lorsque Brooke pénétra dans le halo de lumière.

Un peu en arrière, il la regarda saisir les deux mains de la jeune femme et déposer du bout des lèvres un baiser sur chacune de ses joues comme s'il s'agissait d'une parente long-temps perdue de vue, avant de commenter avec une curiosité non dissimulée :

— Mon Dieu, mais tu m'as l'air toute chiffonnée !

Sans même attendre une éventuelle explication, elle s'écarta pour détailler son assistante de la tête aux pieds, un sourire félin aux lèvres. A croire qu'elle savait pertinemment que son assistante venait d'être embrassée à en perdre le souffle !

Puis son regard se rétrécit, tandis qu'elle fronçait imper-ceptiblement les sourcils.

— Serait-ce ma veste ?

— Eh bien, oui, mais…

C'est alors que Shauna dut se remémorer la présence de Cole car elle reprit, d'un ton à la désinvolture théâtrale :

— Peu importe. Nous en discuterons plus tard.

Dans le cadre d'une retenue sur salaire, supposa Cole. Aurait-il brûlé ces torchons avec tant de plaisir s'il avait pu se douter que Brooke aurait à les rembourser de sa poche ?

Shauna se tourna vers lui, l'invita d'un geste à sortir de l'ombre, et le détailla avec une appréciation non dissimulée, avant de lui décocher un sourire… carnassier ? Non, ce devait être son imagination.

Puis elle descendit le perron à sa rencontre.

— Et vous devez être le major Standen. Mère et les enfants ne parlent que de vous ! Inutile de se demander pourquoi !

Cet accueil n'avait plus rien à voir avec celui de l'été dernier sur sa plage, où il avait eu l'impression d'être le péquenaud du coin qui aurait eu l'honneur d'une visite royale !

116

Il recula d'un pas, avant qu'elle ne puisse le bécoter sur chaque joue. Puis il jeta un regard à Brooke, en quête de secours, mais la trouva en train de gratter, d'un geste nerveux, une tache sur la veste.

— Entrez donc, l'invita l'actrice, l'air de ne pas avoir saisi qu'il n'appréciait pas la familiarité de la part d'étrangers, en glissant d'autorité un bras sous le sien.

Ce qui lui déplut fortement, mais pour Brooke, il décida de faire preuve de civilité au moins une fois dans sa vie. Ce qui alla jusqu'à écouter l'interminable flot de paroles de Shauna Carrier, laquelle articulait le moindre de ses mots avec emphase, comme s'il était susceptible de lui valoir un oscar.

— Je tenais juste à raccompagner Brooke, lâcha-t-il soudain, persuadé qu'il ne pourrait supporter plus longtemps la futilité débordante des propos de Shauna. Une autre fois, peut-être.

Le beau visage se froissa en une petite moue boudeuse qu'il se souvenait avoir vue sur la plage l'été dernier, et qui lui rappelait étrangement celles de trois adorables fillettes…

— Mais les enfants veulent vous voir ! Et, bien sûr, je tiens à vous remercier pour tout ce que vous avez fait !

Cole coula un autre regard à Brooke dans l'espoir qu'elle le sorte de là, mais elle était toujours accaparée par le col de la veste. Alors, avec un soupir, il se laissa entraîner par Shauna dans cette villa désormais familière.

Les enfants se jetèrent aussitôt sur lui en parlant tous en même temps. Distrait temporairement de son malaise, il les étreignit l'un après l'autre.

Shauna l'observait attentivement, une expression indéfinissable sur le visage. Cynique ? Non, pas tout à fait. Plutôt le désir de croire, en butte à l'insensibilité de quelqu'un qui ne croyait plus en grand-chose. Mais pourquoi le regarderait-elle ainsi ?

Elle le présenta à un Milton, qu'il se rappela vaguement avoir également vu sur la plage, tant la beauté de sa femme l'éclipsait. Aucun homme n'aurait pu être moins bien assorti à l'actrice — même sa peau était sans éclat, telle celle d'un Einstein vieillissant dans un corps encore jeune. Mais sa poignée de main était ferme, et ses tranquilles remerciements sincères.

Puis les enfants furent kidnappés par leur nourrice, et Cole se retrouva assis dans le salon qui lui avait servi de camp de fortune pendant plusieurs jours.

— Quelque chose à boire ? questionna la maîtresse de maison.

— Non, merci.

Mais elle lui versa néanmoins un verre, ce qui lui donna un prétexte pour se pavaner devant lui d'une démarche chaloupée avant de s'installer tout près de lui sur le canapé. Trop près à son goût.

— Vous m'avez l'air d'être homme à aimer le scotch.

Il détestait le scotch, et regretta tout à coup de ne pas avoir plutôt pris une chaise. Sans rien dire, il s'écarta imperceptiblement, jeta un coup d'œil autour de lui, et se dit qu'il détestait l'endroit ainsi. Trop parfait. Le moindre objet à sa place. Sans matelas, ni vaisselle, ni feu dans la cheminée. Une pièce tout ce qu'il y avait de plus formel et de plus froid, où rien n'existait plus de la joyeuse animation des jours précédents.

Shauna cherchait de nouveau à envahir son espace. Une si belle femme. Mais pourquoi lui évoquait-elle un barracuda ?

— A présent, major, susurra-t-elle d'une voix suave, je veux tout savoir de vous.

Elle posa une main sur son avant-bras, puis la fit remonter sur son biceps, en une évidente caresse.

Cole coula un regard à Milton, dans l'espoir qu'il vienne lui décocher un bon direct, mais ce dernier, rêveur, contemplait les eaux sombres du lac. Quant à Brooke, assise dans un coin de la pièce, les épaules affaissées, elle paraissait sur le point d'éclater en sanglots à tout moment.

Sans doute à cause de cette fichue veste. Ou des torchons.

Il repoussa la main de l'actrice, oublia qu'il détestait le scotch et avala son verre d'un trait. Puis tourna de nouveau vers Brooke un regard que l'alcool faisait larmoyer.

Elle avait l'air en plus mauvais état encore que sur son bateau ! Nom d'un chien ! Cette Shauna était-elle donc si terrible que ça ?

— Alors, major, qu'y a-t-il à savoir sur vous ? répéta l'actrice, sa main de retour sur son bras.

C'en était assez. Trêve de civilités ! Il abaissa le regard sur la main importune jusqu'à ce que, tout juste gênée, l'actrice la retirât.

— Je ne pense pas que nous allons faire connaissance maintenant, déclara-t-il en s'efforçant de rester courtois. Brooke ne se sent pas bien. Je crois que nous devrions la laisser se reposer et en rester là pour aujourd'hui.

— Brooke ne se sent pas bien ?

Shauna ne parut remarquer qu'à cet instant la présence de son assistante dans la pièce, et du même coup son teint livide.

— Mais, chérie, se lamenta-t-elle, il faut que tu retournes à Los Angeles pour moi dès demain !

— J'irai mieux demain, affirma Brooke les lèvres serrées.

— J'espère bien ! Tout va à vau-l'eau là-bas ! Organiser mes journées sans toi a été un vrai cauchemar !

Elle frissonna délicatement, tandis qu'une rage froide enflammait Cole. Brooke était malade, et tout ce que sa narcissique patronne prenait en compte était comment elle en serait affectée ? Il lui fallait sortir d'ici au plus vite avant de commettre un impair que Brooke désapprouverait certainement.

— Je crois que tout dépendra de l'état de santé de Brooke, observa-t-il sèchement.

— Tiens, tiens, serions-nous médecin, à nos moments perdus ? rétorqua l'actrice avec suavité.

Cette femme, décidément, lui donnait la migraine ! Et des envies de meurtre.

— Je dois y aller.

— Oh, mais je tenais *teeellement* à mieux vous connaître !

— La vie est pleine de désillusions, articula Cole d'un ton qu'il espérait neutre mais conscient, soudain, que Milton et Brooke le fixaient à présent comme si le ciel allait lui tomber sur la tête.

— Vous savez quoi, major ? Joignez-vous à nous demain matin pour le brunch ! Disons… vers 10 heures ? J'aimerais vous remercier à ma façon.

Ce qui signifiait sans doute qu'elle ne s'était pas encore aperçue de la disparition de ses précieux torchons !

— Vous ne regretterez pas d'être venu à mon secours, je peux vous l'assurer, reprit-elle d'un ton qu'il n'arrivait pas à définir.

D'être venue à *son* secours aurait peut-être déclenché des regrets sans fin. Mais pour ses enfants, il ne regrettait rien. Comment une femme aussi peste, aussi superficielle pouvait-elle avoir d'aussi adorables enfants ? D'aussi adorables employées ? Et une aussi adorable mère ?

Oh, et puis, si elle tenait tant que cela à le remercier, autant en profiter.

— En fait, j'ai quelque chose à l'esprit, en matière de récompense.

Elle sourit, exposant de parfaites dents blanches indubitablement prédatrices.

Brooke laissa échapper ce qui ressemblait étrangement à une plainte, et il lui jeta un regard surpris.

Elle semblait, cette fois, prête à se précipiter vers les toilettes d'une seconde à l'autre.

Mieux valait discuter de cette récompense au brunch de demain.

Il jeta un nouveau coup d'œil à Brooke. Serait-elle encore là, demain matin ? Dans le cas contraire, il lui fallait lui parler, savoir quand elle rentrerait, quand il la reverrait. Aussi suggéra-t-il :

— Brooke, vous voulez bien me raccompagner ?

— Oh, non, voyons, la pauvre chérie est dans un état épouvantable, intervint Shauna. Je vais le faire.

La main baladeuse se posa de nouveau sur la sienne. Il l'ôta vivement. Il n'avait certainement pas besoin de se faire raccompagner par la femme d'un autre — qui ne semblait pas jaloux le moins du monde —, et une femme incapable de contrôler ses mains !

Il bondit sur ses pieds.

— Inutile ! Merci ! A demain, pour le brunch. Brooke, serez-vous encore là ?

Elle hocha misérablement la tête.

— Allez vite vous coucher, lui conseilla-t-il, avant de se tourner vers Shauna pour décréter : ne lui demandez plus rien ce soir.

— Oh, juste quelques petites choses et ensuite…

— Non. Pas une. Me comprenez-vous ?

Du coin de l'œil, il vit Milton esquisser un sourire. Puis sa femme l'imita, et ce fut la première expression sincère qu'il découvrit en elle. « Elle pourrait être vraiment très belle, s'avisa-t-il, si elle était moins factice ». En la matière, Brooke avait quelques leçons à lui donner.

— Reçu cinq sur cinq, major, susurra-t-elle suavement.

— Parfait, décréta Cole.

Puis il se hâta de sortir, comme s'il avait un bataillon de soldats ennemis à ses trousses.

11.

Au matin, Cole était de retour à la villa, mais prêt, cette fois, à ce qui l'attendait. Son intention était de négocier sa récompense en privé de manière à ce que Brooke n'en sache rien, de trouver un moment pour discuter avec celle-ci de ses projets et de la date de son retour, et de fuir Shauna Carrier au plus tôt.

Mais bien entendu les enfants s'agglutinèrent autour de lui aussitôt qu'il franchit le seuil, Molly insista pour lui parler des derniers événements entre Vanessa et Blake, et Shauna ne le lâcha pas d'un pouce ce qui ne parut pas contrarier Milton le moins du monde.

La seule qu'il ne vit pas vraiment, en fait, fut Brooke.

A son entrée, elle agita distraitement la main dans sa direction, un téléphone sans fil coincé entre l'épaule et l'oreille et, dans les mains, une liasse de papiers, pâle, et l'air pas tout à fait dans son assiette. A croire qu'elle en avait entendu de toutes les couleurs, sur cette fichue veste et le reste !

— Ne me dites pas qu'elle est en train de commander des torchons ? demanda-t-il à Shauna d'un ton peu amène.

Elle lui décocha un regard surpris.

— Si, justement. Comment le savez-vous ?

— Simple supposition.

Brooke les rejoignit pour le brunch, opulent buffet débordant de fruits, de toasts et de beignets à la cannelle.

Il prit place d'autorité auprès d'elle.

— Bonjour, au moins. Soufflez donc un peu.

Elle lui retourna un petit sourire affligé qui lui fit froncer les sourcils.

— Elle vous mène la vie dure pour ces torchons ?

— Non, c'est juste que j'ai des tas de choses en retard.

Puis elle demeura délibérément distante. Que se passait-il donc ? Elle avait bel et bien dû se faire passer un savon à propos de ces torchons et de ces draps, mais cela était-il la seule cause de ce malaise et de cette crainte qu'il lisait dans ses yeux ?

Il se saisit de sa main, sous la table, et la serra en un geste de réconfort. L'espace d'un bref instant, elle redevint la Brooke qu'il avait serrée dans ses bras, par le regard seulement, comme en quête d'une réponse qu'il ne put lui donner, puisqu'il ne connaissait même pas la question.

— Vous partez aujourd'hui ?

— Oui. Mon vol est à 15 heures.

— Et quand serez-vous de retour ?

Et de nouveau ce regard qui le suppliait de répondre à une question qu'il ne comprenait toujours pas…

— Je ne sais pas.

— Y a-t-il quelque chose qui ne va pas, Brooke ?

— Non, affirma-t-elle un peu trop promptement.

— Ce sont ces fichus torchons, n'est-ce pas ? Et les draps ? insista-t-il néanmoins. Elle vous en veut tant que ça ?

— Cela n'a pas été une partie de plaisir, admit-elle enfin.

Mais il sentit qu'elle ne lui disait pas toute la vérité sur l'enfer que lui faisait vivre sa patronne. Cole estima qu'il était temps d'agir. Il posa sa serviette et annonça d'un ton qui n'admettait pas de réplique :

— Shauna, j'ai à vous parler. En privé.

L'actrice décocha à son assistante un regard vaguement inquiet, qu'il crut un instant avoir rêvé car aussitôt s'afficha sur ses traits une expression de joie un rien étudiée.

— De votre récompense ? ronronna-t-elle.

— En effet !

— A votre disposition.

Elle se leva avec un déhanchement suggestif.

Cole darda un regard furieux sur Milton qui, un bol de porridge devant lui, en trouvait le contenu apparemment plus intéressant que les minauderies de sa femme.

Brooke, quant à elle, contemplait sa salade de fruits avec une attention soudaine.

— Milton, dit-il alors, vous feriez mieux de venir aussi.

— Oh Seigneur, que voulez-vous donc ? La villa ? plaisanta Shauna avec un gloussement ridicule.

« Non, un chaperon ! » s'abstint de rétorquer Cole.

Dans le bureau, il endossa l'entière responsabilité de tous les dommages, puis établit ses conditions.

Shauna se renversa dans son fauteuil, bouche bée.

— Etes-vous en train de me dire que vous pensiez que j'obligerais Brooke à me rembourser ?

— Ou que vous lui rendriez la vie impossible, oui.

— Vous avez une drôle d'opinion de moi ! reprocha l'actrice, vexée.

Mais son mari, lui, s'esclaffa.

— Ne vous inquiétez pas ! Molly ne l'aurait jamais permis. Et puis ce ne sont que des objets. Nous vous sommes tous les deux tellement reconnaissants d'avoir pris les choses en main ! Qu'importent quelques torchons, des draps et un tapis. J'avais ce tapis en horreur, de toute façon.

— Tout comme la table dont vous avez scié les pieds, renchérit Shauna. Imaginez : ma fille ayant pour table à langer une table Louis XIV !

Elle éclata de rire, d'un rire cristallin, sincère.

Cole la dévisagea, soudain pris au dépourvu. Cette femme était décidément un vrai caméléon. Elle lui échappait totalement, et il n'aimait pas cela.

— Soyons clairs, reprit-elle. Je ne me mettrais pas martel en tête pour des torchons, et si je lui en ai fait commander, c'est tout simplement parce que je n'en ai plus.

Qu'est-ce qui expliquait, dans ce cas, l'étrange attitude de Brooke ce matin ?

— Et la veste ?

— La veste, c'est une autre histoire. C'était une de mes favorites et... ne me regardez pas comme ça ! Vous me posez une question, j'y réponds.

— Soit. Alors c'est ce que je veux comme récompense : la veste.

— Vous plaisantez ? s'étonna-t-elle en le regardant comme s'il était le dernier des idiots.

— Je n'ai jamais été aussi sérieux de ma vie.

Elle le considéra un long moment, puis répondit d'une voix étrangement altérée :

— Elle est à vous.

Mais Cole remarqua avec surprise qu'elle était au bord des larmes ! Que se passait-il donc, dans cette maison, qui rende ainsi les gens si étranges soudain ?

Elle se ressaisit bien vite et reprit son air arrogant.

— Passons à autre chose. D'après Brooke, vous estimez que je devrais disposer de davantage de moyens de sécurité. J'aimerais que vous vous en chargiez.

— Non.

— Vous ne connaissez pas encore mes conditions.

Et elle cita une somme astronomique.

— Non, répéta-t-il sèchement. Je peux vous mettre en contact avec quelqu'un. C'est tout.

Si ce n'était pas les torchons, qui inquiétaient Brooke, alors quoi ? Il éprouva, soudain, l'impérieux besoin de le lui demander, et prit brusquement congé, non sans que la voix de Milton lui parvienne aux oreilles tandis qu'il s'éloignait à grands pas :

— Je te l'avais bien dit, que tu n'étais pas de taille, avec celui-là.

A quel jeu jouaient donc ces gens ?

— Je n'en ai pas encore fini, répondit Shauna.

« Oh, que si ! » songea Cole, avec un mouvement de tête exaspéré.

Il partit à la recherche de Brooke et ne la trouva pas. Ce fut Saffron qui lui indiqua qu'elle venait juste de partir pour l'aéroport. Il crut qu'il avait mal entendu. Sans même lui dire au revoir ? Sans même lui laisser un numéro où la joindre ?

Mais que se passait-il donc dans cette maison de fous ?

C'en était assez ! Il ne tenait plus à le savoir !

Les tempes lancinantes, le cœur cognant dans sa poitrine, il se rua en direction de la porte.

Et en direction de sa vie d'avant.

Cole amarra son bateau. Il avait pris des risques en s'engageant sur le lac aujourd'hui. Mais peut-être avait-il quelque chose en commun avec le jeune homme qui, autrefois, arpentait ces mêmes rives, vêtu de peaux de bêtes, ses longs cheveux flottant au vent.

Il avait toujours eu l'habitude, lorsqu'il souffrait, de se lancer des défis, de tester ses limites, et il entreprenait alors des activités qui exigeaient son attention à cent pour cent, faisant tout ce qui était en son pouvoir pour éloigner la souffrance.

Et jamais de toute sa vie il n'avait autant souffert.

Il y avait déjà trois jours que Brooke était partie, mais il espérait à tout moment entendre le téléphone sonner, et le son de sa voix, même lointaine.

Ce qui n'avait pas été le cas jusque-là, bien que son téléphone, d'ordinaire muet, persistât à sonner à longueur de journée. Saffron pour prendre des nouvelles, Darrance pour poser une question, Calypso pour dire bonjour. Même Kolina paraissait très douée pour décrocher un téléphone. Puisqu'une gamine de trois ans en était capable, pourquoi pas Brooke ?

Quant à Shauna, elle ne s'était pas privée de l'appeler, plusieurs fois, toujours pour lui proposer un travail ou un autre. Celui de garde du corps, de nouveau, assorti d'encore plus d'options que n'en avait sa machine à laver ! Catégorique, il lui avait donné le numéro d'un ancien collègue, lui aussi à la retraite, susceptible d'être intéressé.

La fois suivante, c'était pour lui proposer d'organiser des parties de pêche pour ses amis de passage, « puisque Brooke s'était *teeellement* amusée ».

Dans la mesure où cette dernière ne l'avait apparemment pas fait, Cole s'était empressé de décrire dans les moindres détails de quelle manière précise Brooke s'était amusée. Le sujet fut aussitôt oublié.

Mais Shauna était revenue à la charge. Pour du jardinage. Des travaux de peinture. Persuadée, à l'évidence, qu'il était en grand besoin d'un travail au salaire extravagant. Chaque fois, il l'avait envoyée sur les roses, poliment mais fermement.

Shauna Carrier le mettait mal à l'aise. Il était certain qu'elle avait quelque arrière-pensée et qu'elle lui sauterait dessus à l'instant même où il serait assez idiot pour lier la moindre parcelle de sa vie à la sienne. Hier encore, ne lui avait-elle pas offert de donner des leçons de natation aux enfants ?

C'était la seule offre qui l'avait tenté. Ces gosses lui manquaient plus qu'il ne voulait l'admettre. De plus, ils vivaient près d'une piscine et d'un lac, et il lui semblait indispensable qu'ils apprennent à nager au plus vite. Mais il avait craint que ce soit une nouvelle ruse de Shauna, liée à ce je-ne-sais-quoi de pas très clair qu'elle avait derrière la tête. Aussi lui avait-il opposé un énième « Non ».

— Youhou !

Cole sentit les poils se hérisser sur sa nuque. Qu'avait-il fait de mal pour être poursuivi par cette furie ?

Shauna était bien devant le chalet, en personne cette fois, titubant sur le sable, perchée sur des talons ridicules, et affublée d'une espèce de toge blanche brodée de perles, parfaite, sans aucun doute, pour la soirée des oscars !

A son plus grand soulagement, Saffron et Darrance l'accompagnaient, ce qui signifiait, du moins l'espérait-il, qu'il n'aurait pas à la tenir à distance à l'aide d'un bâton !

Serrant sous le bras une large boîte plate, elle aborda d'un pas chancelant le ponton, que les eaux agitées faisaient osciller. Il eut la peu charitable pensée que, pour peu qu'elle tombe, il n'irait pas la repêcher.

Bon sang ! Depuis quand était-il homme à laisser une mère se noyer sous les yeux de ses enfants ?

La réponse lui vint aussitôt : son cœur s'endurcissait davantage à chaque jour qui passait sans nouvelles de Brooke.

— Salut les enfants !

Il les embrassa tous deux, puis les entraîna vite loin du ponton, sans prêter la moindre attention à Shauna.

Il écouta Saffron se plaindre que la vie n'était vraiment plus drôle depuis que l'électricité avait été rétablie, puis Darrance donner ses arguments pour l'adoption d'un chiot, au sujet de quoi il se garda bien de donner un avis. Puis, jugeant qu'il avait été assez mufle comme cela, il s'adressa enfin à leur mère :

— Que puis-je faire pour vous ?

— Oh, non, non, non, fit-elle, agitant l'index comme s'il avait été un très mauvais garçon. Il s'agit de ce que *je* peux faire pour vous.

— C'est bien ce que je craignais, marmonna-t-il.

Elle lui tendit la boîte.

— Voilà la veste. Je l'ai fait nettoyer.

— Merci.

Mais Cole ne la prit que de mauvaise grâce. Cette veste ne lui rappelait que trop douloureusement ce qu'il éprouvait pour Brooke.

La nuit dernière, il s'était réveillé en sursaut avec la terrible certitude… qu'il était bel et bien tombé amoureux d'elle. Sinon pourquoi le hanterait-elle à ce point ? Pourquoi penserait-il sans cesse à ses lèvres, ses yeux, la texture de ses cheveux entre ses doigts ? Pourquoi planifierait-il à ce point ce qu'il allait lui dire quand il la reverrait ? S'il la revoyait…

« Ne demande pas des nouvelles de Brooke ! » s'ordonna-t-il.

— Comment va Brooke ?

— Elle est débordée, la pauvre. Mon dernier film sort à la fin du mois, avec tout ce que cela implique d'interviews à planifier, de soirées à organiser. Et à propos de soirée, nous en aurons une ici aussi, bien sûr.

— Bien sûr, commenta-t-il, laconique.

— Major, j'ai une toute petite faveur à vous demander.

« Mais cela ne finira-t-il donc jamais ? »

Les bras croisés, les jambes écartées, Cole la considéra quelques instants d'un air peu amène. La plupart des gens auraient saisi l'allusion. Mais la plupart des gens n'étaient pas Shauna Carrier.

— L'occasion m'est offerte de jouer dans un film extra-ordinaire. Au sujet d'une femme soldat qui se retrouve prisonnière de guerre.

— Et votre rôle serait ?

— Celui de la prisonnière de guerre, bien sûr.

« Quelle judicieuse distribution ! » railla intérieurement Cole, qui n'imaginait pas pire choix pour le rôle en question.

— C'est tiré d'une histoire vraie, et le titre sera *Une voix dans le désert.* « Voix » V-O-I-X, parce que l'héroïne reven-dique haut et fort d'être traitée comme tout prisonnier de guerre masculin, faisant écho à « voie » V-O-I-E, parce que, par cette épreuve, elle trouve sa voie.

— Et ? la coupa Cole qui n'était pas en état de philoso-pher.

— Vous comprenez, ce film pourrait être un jalon dans ma carrière. Différent de ceux que je tourne d'habitude. Avec un vrai message. Parce que cette femme trouve en elle espoir et force dans de terribles conditions.

— Et ? reprit-il plus brusquement.

— L'aspect technique me chiffonne. Certains détails sonnent faux. Et s'ils sonnent faux même pour moi, qui va y croire ?

Quelle importance ? Mais cela en avait un peu quand même car il se surprit à répondre :

— C'est que… c'est délicat. Le corps militaire n'apprécie guère que la guerre soit banalisée à l'écran, et…

— Exactement ! s'exalta-t-elle. C'est pourquoi je me demandais si vous accepteriez de vérifier quelques aspects du scénario.

La réponse fut la plus courte qu'il connaisse.

— Non.

Mais voilà que la délicate main revenait se poser sur son bras. Et qu'un regard bleu, qui promettait le ciel et les étoiles, s'accrochait au sien…

— Je vous en prie. Cela en vaudra la peine, vous savez. Vous seriez à l'abri du besoin tout le reste de votre vie.

— Qui vous dit que je ne suis pas déjà à l'abri du besoin ?

— Brooke apprécierait que vous acceptiez.

— Vraiment ?

Shauna hocha vigoureusement la tête.

— Elle va devoir rester à Los Angeles un bon bout de temps. Vous pourriez l'y rejoindre.

Cole sentit une barrière s'écrouler en lui. Rejoindre Brooke à Los Angeles ? Il avait prévu de la courtiser ici même, sur les tranquilles rives de son lac, dans le sillage d'Eileen et de Jimmy. D'appeler les oiseaux de leur nid, de suivre les sentiers avec sa main dans la sienne. De s'asseoir sur ce rocher, là-bas, les bras autour d'elle, pour regarder le soleil se coucher.

Mais dans une grande ville comme Los Angeles ? Il avait eu l'occasion d'y passer, et la trouvait bruyante, agressive et artificielle.

D'un autre côté, il y avait là-bas probablement plus excitant à faire que d'aller au bowling…

Et peut-être que s'il tenait vraiment à Brooke — s'il l'aimait, même —, tout ne devait pas aller uniquement dans son sens à lui. Peut-être devait-il faire quelques concessions ? Céder un peu de terrain ? Notion inhabituelle pour un militaire. Céder du terrain n'était certainement pas dans son vocabulaire.

Mais son vocabulaire avait étrangement évolué ces derniers temps, puisqu'il contenait désormais le mot « capituler ». D'ailleurs, pourquoi ne pas capituler, tout simplement ?

Sa fierté lui intimait l'ordre de ne pas bouger d'ici et d'attendre qu'elle fasse le premier pas. Mais son cœur, lui, était déjà dans l'avion.

— Je ferai en sorte que cela vaille vraiment la peine, vous verrez, répéta Shauna, qui devait le sentir hésiter.

La somme qu'elle cita cette fois frisait l'indécence.

— Votre prix sera le mien, dit-il.

Il fourra la boîte sous son bras, et regagna son chalet sans un mot.

12.

— Cole vient à Los Angeles ? hurla Brooke au téléphone tandis que son cœur bondissait dans sa poitrine.

Comme elle avait hâte de le revoir ! Jamais elle n'avait autant souffert de l'absence d'un homme qu'elle connaissait si peu. C'était à mourir de rire, mais il lui manquait terriblement. Sa voix, sa présence, son odeur, sa main dans la sienne, ses lèvres… Jusqu'à ses remarques ironiques et parfois blessantes !

Mais tout était en suspens, jusqu'à ce qu'il achève le test. Et les communications quotidiennes avec Shauna lui laissaient à penser qu'il n'en était plus très loin.

Et voilà que maintenant… La venue de Cole à Los Angeles signifiait-elle que Shauna avait enfin découvert ce qui était à même d'inciter l'homme d'honneur qu'il était à se vendre ? Cole Standen n'aurait jamais choisi la Californie comme destination de vacances, mais plutôt un pic montagneux solitaire et venteux. Alors… ?

— Dans quel cadre vient-il ? hésita-t-elle à demander.

Son cœur sombra à la réponse de Shauna.

— Conseiller technique pour *Une voix dans le désert* !

Il ne venait que pour travailler, sans doute enivré par le nombre de zéros sur le chèque de Shauna !

Mon Dieu qu'elle avait été sotte de tomber amoureuse de cet homme ! Eperdument amoureuse. Sans même attendre le verdict du test !

Cole venait de succomber à l'ultime tentative de Shauna pour l'acheter. Pourtant, elle l'aimait toujours, et elle souhaitait toujours être près de lui, dans son monde de simplicité, de nature sauvage et de feux dans la cheminée.

Elle n'imaginait vraiment pas ce qui avait pu le convaincre de venir dans son monde à elle. L'argent, supposa-t-elle, beaucoup d'argent. Mais peut-être après tout qu'aucun homme n'était à l'abri de la tentation lorsque celle-ci se pavanait sous son nez, peut-être qu'aucun homme n'était de taille à ignorer que côtoyer une célébrité pouvait avoir certains avantages.

— Comment ? Tu veux que j'aille le chercher à l'aéroport et que je lui serve de chauffeur ? Mais d'habitude, la règle est que je ne les voie plus. Pas cette fois ? Ah. Et pourquoi ?

Pourquoi ? Parce que Milton avait averti sa femme qu'elle prendrait un grand risque si elle persistait à abuser de la patience d'un homme tel que le major Cole Standen. Parce que le major Cole Standen n'avait rien en commun avec tous ces hommes gravitant d'ordinaire dans son monde.

— Es-tu en train de me dire qu'il a peut-être des sentiments pour moi ? De véritables sentiments ?

C'est alors que Shauna eut une réponse des plus étranges :

— Personne ne peut te le dire, Brooke. Tu dois te faire confiance.

Se faire confiance. Toujours et encore. Tout cela ne la rassurait pas, bien au contraire.

La jeune femme jeta un coup d'œil à la pendule, sentit son cœur cogner sourdement dans sa poitrine. Cole serait ici, dans *son* monde, dans moins de douze heures.

Bientôt, elle saurait.

**

Il lui apparut plus grand que nature lorsqu'il émergea de la salle de débarquement quelques heures plus tard. Brooke l'observa à loisir, le cœur battant, avec l'avantage qu'il ne l'avait pas encore vue.

Il était plus grand que la moyenne, et même dans son costume ample, on devinait qu'il était tout en muscles. Par sa silhouette, il attirait bien des regards, surtout ceux des femmes qu'il semblait pourtant ignorer. Mais il n'y avait pas que cela. Il était aussi plus séduisant que la moyenne, avec ses cheveux bruns et ses yeux bleus toujours aux aguets.

Mais l'attirance qu'il exerçait sur elle était plus mystérieuse, plus profonde. Elle résidait dans la manière dont il se déplaçait, avec une grâce inconsciente et une puissance qui trahissaient ce qu'il était. Dans la manière dont son regard balayait le vaste terminal.

Elle brûlait de courir vers lui, de jeter les bras autour de son cou, de l'embrasser et de laisser ce baiser les ramener à l'époque où il n'y avait pas encore de test. L'époque de la découverte, de l'exploration, des espoirs…

Mais elle ne voulait pas se jeter à son cou, c'était hors de question. Il ne venait pas pour la voir, elle le savait, mais parce que Shauna avait réussi à l'acheter.

D'un autre côté, il n'y avait eu, contrairement à l'habitude, aucune raillerie, aucun avertissement, aucun conseil de la part de Shauna en dehors de ce «Tu dois te faire confiance ».

Et se faire confiance, justement, ne signifiait certainement pas obéir à l'impulsive et hystérique petite voix qui, en elle, lui criait de se jeter sur lui. Non, il lui fallait en arriver à des conclusions mesurées, rationnelles, basées sur des faits, et non se fier à l'émotion, l'espoir, ou des interprétations irréalistes comme elle en avait la triste habitude.

Par exemple, son expression tout entière s'éclaira-t-elle lorsqu'il la vit ? Ses traits anguleux ne se détendirent-ils pas ? L'implacable ligne de sa bouche ne s'incurva-t-elle pas en un irrésistible sourire ?

Non. Elle était certaine que non. Ce n'était qu'un tour de son imagination, de son esprit qui croyait voir exactement ce qu'il voulait voir.

— Bonjour, salua-t-elle fraîchement. Des bagages ?

A cet accueil des plus froids, elle crut apercevoir de la déception sur son visage… Mais non ! Elle devait encore rêver !

— Alors, reprit-elle avec entrain, lorsqu'ils furent tous deux à bord de son 4x4, quelle récompense avez-vous obtenue de Shauna ?

Voilà ! se félicita-t-elle. Voilà qui était rationnel, et allait droit au but.

Il sourit.

— Je ne vous le dirai pas.

Ah. Il se cabrait. Soit. Autant adopter une autre tactique.

— Elle vous a donc engagé comme conseiller technique pour son prochain film ?

Il haussa négligemment les épaules et railla :

— Un aller-retour gratuit pour la Californie ne se refuse pas. J'adore déjà. Humez cet air !

S'efforçant de demeurer insensible à sa présence à son côté, et résistant à grand-peine à l'envie d'enfouir le nez dans son cou à chaque feu rouge, elle lui désigna les principales attractions du boulevard. Puis osa lui couler un rapide regard tandis qu'elle brandissait son badge pour se faire ouvrir l'immense portail du studio.

Si cela l'impressionna, il n'en montra rien.

Elle le déposa devant le bureau du producteur.

— Aurons-nous un peu de temps à passer ensemble ? questionna-t-il avant de refermer la portière.

— Je crois, oui. J'ai été *mise à votre disposition* pendant tout votre séjour.

— Ai-je fait quelque chose de mal, Brooke ? Vous ne me paraissez pas vous-même.

— De quelle Brooke parlez-vous ? De celle qui fait exploser les barbecues, ou de celle qui vomit tripes et boyaux sur les bateaux ?

Il la dévisagea sans un mot. D'un regard si inébranlable qu'elle détourna le sien.

— A plus tard. Faites-moi appeler sur mon portable lorsque vous aurez terminé, lança-t-elle avant de s'éloigner, envahie d'un malaise soudain.

Il était près de 23 heures lorsqu'elle retourna le chercher. D'humeur à l'évidence orageuse, il s'installa sur le siège passager sans un mot.

Elle le conduisit à la villa de Shauna, sur les collines d'Hollywood, où une chambre lui avait été préparée.

— Si vous avez besoin de quoi que ce soit, il y a un couple de gardiens en bas de l'allée, lui annonça-t-elle après lui avoir brièvement fait faire le tour du propriétaire. A présent, à moins que je ne puisse vous être utile à autre chose, la journée a été longue et…

Il lui prit le coude.

— Venez prendre un verre avec moi. Nous avons à parler.

— De quoi ?

— De vous et moi.

Brooke déglutit péniblement. *Vous et moi ?* Comment pouvait-il y avoir un « vous et moi » s'il était ainsi perméable aux manipulations de Shauna !

138

Elle plongea ses yeux dans les siens, mais n'y trouva qu'une grande lassitude. Oh, pourquoi ne pouvait-elle tout simplement l'enlacer, chasser cette fatigue de ses baisers ?

Parce qu'il lui fallait penser rationnellement.

— Je reste à condition que vous me disiez quelle était cette récompense, négocia-t-elle d'une petite voix.

— Marché conclu ! répondit-il avec une telle candeur qu'elle sut qu'elle était perdue.

Ils allèrent s'installer au bord de la piscine éclairée par des flambeaux. Cole s'étendit sur une chaise longue avec un soupir, puis murmura, les yeux levés vers le ciel :

— On ne voit même pas les étoiles.

— Non, en effet.

— Elles ne vous manquent pas ?

Hollywood lui avait ouvert ses portes aujourd'hui, et Cole Standen regrettait de ne pas voir les étoiles !

— Si, elles me manquent, avoua-t-elle.

Et lui encore plus ! Et le petit chalet près du lac ! Cependant elle n'était pas là pour une soirée romantique mais pour cerner la personnalité de cet homme étrange.

— Alors, l'équipe de tournage vous a plu ?

— Je ne veux pas en parler. Je préfère parler de ça.

Il lui tendit la longue boîte plate apportée avec son sac de voyage.

— Voilà la récompense que j'ai réclamée à Shauna.

C'était trop léger pour être une télévision ou autre. Qu'était-ce donc ?

— Ouvrez-la.

Elle obtempéra, déplia la veste Calvin Klein de Shauna.

— C'est *ça*, votre récompense ?

Abasourdie, Brooke sentit les larmes lui monter aux yeux.

— Mais... pourquoi ?

— Parce que j'ai vu qu'elle allait vous le faire payer très cher.

Ce en quoi il n'avait pas tort. Au regard de Shauna découvrant sa veste dans l'état déplorable où elle était, Brooke avait tout de suite compris qu'elle allait, d'une manière ou d'une autre, en payer le prix fort pendant un certain temps.

— Mais vous auriez pu avoir n'importe quoi ! Une Ferrari même, certainement !

— Une Ferrari m'aurait-elle valu votre expression en cet instant ?

— Mon expression ?

— Emue aux larmes, comme si vous alliez éclater en sanglots d'une minute à l'autre. Rien à voir avec la femme distante que vous étiez un peu plus tôt à l'aéroport !

— Et une femme dont le maquillage coule et dont le nez ne va plus tarder à faire de même a plus de valeur pour vous qu'une Ferrari ?

— Je ne veux pas de Ferrari, Brooke, dit-il. Je ne suis pas ce genre d'homme. Et je suppose que je ne suis pas non plus fait pour être conseiller technique. Personne ne tenait réellement à connaître mon avis. Ce qu'ils ont en tête, vos producteurs, c'est un de ces films à l'eau de rose qui nie la réalité de la guerre. Et je ne pourrai pas les en empêcher.

Il soupira et reprit :

— Et si je ne peux pas les en empêcher, je ne vais pas les aider non plus. Je rentre. Je ne suis pas à ma place, ici.

Une douce impression de chaleur envahit alors le cœur de Brooke. Se pouvait-il que… ?

— Donc, vous n'allez pas accepter la proposition de Shauna ?

— Je savais que je n'étais pas fait pour cela, Brooke. Ce n'était qu'un prétexte pour venir vous voir.

— Un prétexte ? Me voir moi ?

— Je vous aime, Brooke.

Il disait cela si simplement. Sans emphase ni fioritures. Mais avec, dans la voix, la fermeté d'un homme seulement capable de la vérité.

— Vous l'avez réussi, chuchota-t-elle, les larmes aux yeux. Vous l'avez réussi !

Elle se jeta dans ses bras, le couvrit de baisers.

Ce n'est qu'un long moment plus tard, lorsqu'ils eurent repris leur souffle, qu'il questionna, surpris :

— Je ne comprends pas. Qu'est-ce que j'ai réussi ?

Brooke le lui avoua, entre deux éclats de rire insouciants.

— La première étape, c'était le flirt, mais puisque vous l'avez passée, Shauna devait ensuite vous corrompre avec une proposition mirobolante, et…

Cole la repoussa brusquement, se leva, arpenta quelques secondes en silence le bord de la piscine, avant de la regarder, une lueur inquiétante dans le regard.

— Vous ne plaisantez pas, n'est-ce pas ?

— A propos de quoi ? s'étonna-t-elle, déstabilisée par ce soudain rejet.

— Vous l'avez laissée me soumettre à un test ? Jouer avec moi ?

— Ce n'est pas tout à fait cela, Cole, bredouilla Brooke, soudain paralysée par ce qu'elle voyait se dessiner. Shauna cherche avant tout à me protéger, et…

— Etes-vous en train de me dire qu'après toutes ces heures intenses passées ensemble, après m'avoir vu changer la petite Lexandra et raconter des histoires au coin du feu, vous ne savez toujours pas qui je suis ?

Elle ne répondit rien, consciente à présent que le plus heureux moment de sa vie lui échappait à cause de ce test ridicule qu'elle n'avait pas eu la force de refuser.

Parce que, cette fois, elle n'avait pas eu le courage d'écouter son cœur, de lui obéir, de lui faire confiance.

Cole continua d'une voix atone, plus effrayante encore que des hurlements :

— Etes-vous en train de me dire que vous vous fiez davantage au jugement de votre patronne qu'au vôtre ?

— Cole, je…

Il leva la main.

— Assez ! J'ai entendu aujourd'hui plus de double langage que je n'en peux supporter. Tout ce temps, j'ai vraiment cru vous connaître. J'ai cru voir, sous votre masque, quelque chose d'autre. Atteindre votre âme. Je vois maintenant que je me suis trompé.

— Non, pas du tout ! protesta la jeune femme d'une voix étranglée. Vous m'avez bien vue telle que j'étais, Cole, alors même que je ne le savais plus moi-même !

Il prit une profonde inspiration, leva de nouveau les yeux vers des étoiles qui refusaient toujours de se montrer.

— Je ne peux pas penser clairement ici. Tout est confus, rien ne me paraît réel. Je ne pourrais pas vivre dans un tel endroit. Il faut croire que j'ai plus en commun avec ce trappeur en peaux de bêtes que je ne le pensais.

— Ne partez pas, le supplia Brooke.

Son cœur éclatait. Etre arrivée si près… Il lui avait dit qu'il l'aimait !

— Ce n'était pas en vous que je n'avais pas confiance, tenta-t-elle d'expliquer tandis qu'il s'éloignait. C'était en moi ! Cole !

A aucun moment il ne se retourna.

*
**

142

Au lac Kootenay, le printemps s'annonçait. Des petites touffes d'herbe toute neuve émergeaient entre les mottes sèches. Les cèdres et les sapins embaumaient de senteurs fraîches et laissaient éclater de tendres et verts bourgeons.

Cole, assis sur sa terrasse, les yeux sur les eaux changeantes du lac, se dit pour la énième fois qu'attirer les oiseaux sur son épaule n'était pas possible.

En revanche, les soudoyer pour qu'ils viennent jusqu'au ponton, si. Il déposa quelques graines de tournesol et sifflota entre ses dents.

L'un d'eux, un pinson, tournoya un instant dans les airs, atterrit droit devant lui, l'observa avec méfiance, puis picora hâtivement quelques graines.

Un coup retentit à la porte, et Cole consulta sa montre. Certains jours, les enfants venaient lui rendre visite après leur cours sur Internet. Sous deux conditions tacites : un, que ce soit sans leur mère et deux, qu'ils ne parlent pas de Brooke.

— C'est ouvert ! lança-t-il par-dessus son épaule.

Puis, comme il entendait des pas :

— Saffron, regarde ça !

Il étala d'autres graines, siffla de nouveau. L'oiseau arriva en piqué, saisit une graine, et repartit.

L'exclamation ravie, derrière lui, le fit se retourner. Puis se relever précipitamment.

— Vous appelez les oiseaux de leur nid ! s'étonna Brooke.

— C'est un truc. Je les soudoie aux graines de tournesol.

Elle était toujours aussi belle. Plus mince. Plus triste aussi, mais toujours aussi belle.

— Comment va, à Hollywood ? questionna-t-il d'un ton qu'il espérait désinvolte bien que son cœur menaçât de s'échapper de sa poitrine.

— Bien. Le collègue que vous nous avez recommandé pour *Une voix dans le désert* est remarquable. Il ne leur passe rien. Le film va être un chef-d'œuvre. Plausible, en tout cas.

— Génial, commenta-t-il sans trop savoir pourquoi, car la seule chose qui lui importait était qu'elle soit là, devant lui.

Il se demandait combien de temps ils allaient encore échanger ces banalités, lorsqu'elle reprit :

— L'agent de sécurité est impressionnant, lui aussi. J'ai eu droit à un interrogatoire en règle avant même d'être descendue de voiture.

— Parfait.

Cole inspira profondément.

— Alors, vous êtes de passage ?

— Non. Je suis là pour de bon.

— Pardon ?

— Je suis revenue pour voir si j'étais capable d'appeler les oiseaux de leur nid, d'allumer des feux, et de supporter un homme particulièrement susceptible.

— Je ne vous demandais rien !

Elle s'avança vers lui.

— Mais vous ne rejetteriez pas, n'est-ce pas, une femme qui apprend à se fier à son propre cœur ? Une femme qui apprend à dire oui à la seule chose qui soit réelle dans ce vaste monde ?

Elle se tenait à présent devant lui, les yeux dans les siens. Et il y avait, en elle, quelque chose de différent, une nouvelle assurance : celle d'une femme qui s'était interrogée sur ce qu'elle voulait vraiment, sur ce qu'elle était vraiment, et qui connaissait désormais la réponse.

Et il eut la nette impression que cette réponse, c'était peut-être lui.

Elle tendit les mains. Il les prit et l'attira doucement à lui.

— Bienvenue à la maison !

Puis il la fit tournoyer jusqu'à ce qu'ils soient tous les deux essoufflés.

144

— Ce n'est pas un jeu, l'avertit-il lorsqu'il la reposa par terre. Tu ne peux pas jouer jusqu'à ce que tu en aies assez et repartir ensuite chez toi.

— Je *suis* chez moi, lui rappela-t-elle alors.

— Tu le seras dès que nous serons mariés.

— C'est bien ce que j'espérais.

— Et en secret ! Il est hors de question que la furie, là-haut, y mette son grain de sel !

Elle éclata de rire.

— Cela aussi, je l'espérais.

Il recula d'un pas, la contempla de nouveau. Et, soudain, quelque chose d'extraordinaire se produisit : le monde entier s'estompa, et il ne resta plus que l'amour.

L'amour qui étincelait dans les yeux de Brooke.

Celui qui palpitait dans son propre cœur.

Et tout se mélangea, leur amour à tous les deux, avec les forces renaissantes de la nature.

L'espace d'un extraordinaire moment, suspendu dans le temps, il sut la vérité : l'amour le mettait en osmose avec tout l'univers.

Le pinson vint tournoyer autour d'eux puis, à sa plus grande stupéfaction, se percha sur son épaule.

Très lentement, il plaça un doigt devant ses pattes, et l'oiseau sauta dessus, s'accrochant avec une vigueur surprenante. Puis il voleta jusqu'à l'épaule de Brooke, s'y posa quelques secondes avant de disparaître.

— J'ai comme l'impression que ton arrière-grand-mère vient de me saluer, fit remarquer Brooke, sans se donner la peine d'essuyer les larmes d'émotion qui roulaient sur ses joues.

— J'ai comme l'impression que tu as raison.

Puis, main dans la main, ils attendirent que le soleil sombre dans un flamboiement de couleurs derrière les cimes des montagnes, que le chant des oiseaux s'éteigne, et que la lune s'élève dans le ciel.

Ensemble, ils saluèrent le déclin d'un jour et la naissance d'un autre.

Épilogue

Toc, toc, toc.

— Ne leur ouvre pas ! s'écria Cole. C'est leur mère qui les envoie. Nous savons tous les deux ce qu'elle veut, et elle ne l'aura pas !

Brooke rejeta la tête en arrière et se mit à rire.

Le tout premier jour de leur rencontre, il avait entrevu en elle la beauté, mais rien n'aurait pu le préparer à ce qu'elle recelait vraiment.

Une splendeur telle, qu'elle pouvait capturer un homme et lui donner l'envie de passer le reste de ses jours à ne rien faire d'autre que contempler son sourire, ses yeux, la cascade de cheveux bruns dans son dos, la rondeur croissante de son ventre.

— Va ouvrir, je ne peux pas, répondit-elle, agitant vers lui sa cuillère de bois.

Cette semaine, elle apprenait à confectionner des cookies. La semaine dernière, c'était à cirer des meubles. Celle d'avant à tricoter. Avec un énorme appétit de vie, et l'avidité de *tout* apprendre. Et elle ne manquait pas d'énergie !

— A vos ordres ! maugréa Cole.

Il alla ouvrir, croisa les bras sur sa poitrine et foudroya ses jeunes visiteurs du regard.

Saffron, pas le moins du monde abusée par cette attitude austère, se haussa sur la pointe des pieds et l'embrassa sur la joue.

— Salut, oncle Cole.

Pure diversion, car, pendant ce temps, le reste de la troupe se rua à l'intérieur et alla retrouver Brooke dans la cuisine.

Il les rejoignit, s'adossa au chambranle de la porte tandis que les quatre enfants, rassemblés autour d'elle, scrutaient le contenu du saladier d'un air dubitatif.

— Je prépare des cookies, leur indiqua-t-elle. Ne croyez-vous pas que toute mère doit savoir faire des cookies ?

— J'crois pas qu'maman sait, déclara Darrance. Tu sais, tatie Brooke, l'important, c'est pas de savoir faire des cookies, c'est l'amour.

Cole ne put s'empêcher de sourire. Il savait bien qu'en dépit de tous ses défauts, Shauna aimait ses enfants et son mari avec une intensité et une dévotion impressionnantes. Mais c'est encore Milton qui l'avait le plus surpris. Homme sage, profond et d'une grande gentillesse, il était devenu l'un de ses plus proches amis.

Quant à Shauna… Une fois qu'elle avait accordé sa confiance, elle était encore plus horripilante que jamais ! Brooke et lui croulaient sous un flot incessant de cadeaux et de conseils superflus !

Mais derrière tout cela, l'important, c'était que quelque part, l'amour et la dévotion qu'avait l'actrice pour sa famille s'étendaient à eux avec une générosité sans calcul. Avec l'arrivée prochaine du bébé, elle était passée à la vitesse supérieure, au point de s'être mis en tête de baptiser elle-même leur enfant, allant jusqu'à leur suggérer Oscar, juste après en avoir obtenu un grâce à *Une voix dans le désert* !

— Regarde ce qu'ils apportent, Cole ! fit mine de s'extasier Brooke comme si le même scénario ne s'était pas répété quasiment chaque jour depuis qu'ils avaient annoncé au clan Carrier l'heureuse nouvelle.

— Des suggestions de prénoms ? A croire que vous passez toutes vos nuits à ne rêver que de ça !

Et quels prénoms ! Zenobia. Talitha. Drusilla. Ackley. Maximilian. Et encore, c'étaient là les moins tordus !

— Voui ! s'exclama Kolina. Moi d'abord !

Elle trottina vers lui, lui tendit une enveloppe, qu'il ouvrit. A l'intérieur, sur une feuille de dessin pliée en quatre, était écrit : XDTYPP.

— Ixdetip, lut-il. Hmm. C'est déjà mieux que Zenobia. Qu'en penses-tu, Brooke ?

La petite lui arracha la feuille, qu'elle scruta, sourcils froncés.

— Ça dit pas ça ! Ça dit : Kolina. Pour une fille !

— Kolina, reprocha Saffron, c'est pas ça qu'on avait dit.

Elle tendit à Brooke une autre enveloppe, que cette dernière ouvrit de bonne grâce.

— Ecoutez, petits monstres, reprit Cole. Cela ne vous suffit pas de squatter ma plage, il faut aussi que vous baptisiez mon enfant ?

Une exclamation s'échappa des lèvres de Brooke, tandis qu'une larme roulait sur sa joue.

— Cole ?

— Oui, chérie, qu'y a-t-il ?

— Je crois qu'ils viennent justement de baptiser notre enfant.

Il lui prit la feuille des mains. Elle comportait, comme d'habitude, deux colonnes, l'une intitulée « Fille », l'autre « Garçon ». Mais au lieu de l'habituelle liste de prénoms impossibles, il n'y en avait que deux :

Eileen. Jimmy.

Cole dut se mordre la langue pour ne pas céder lui aussi à l'émotion. Car il avait aussi appris cela depuis qu'il était avec Brooke : il y avait une saison pour toute chose. Toute chose naissait, puis s'éteignait. Alors pourquoi l'homme continuait-il à espérer, à rêver, à mûrir et à apprendre ?

Parce que l'amour, la plus puissante et la plus mystique des énergies, l'amour survivait, telle une flèche décochée au travers du temps.

Mais les mots pour exprimer tout cela lui manquaient, alors il se contenta de dire :

— Dieu merci, ce ne sera pas Oscar !

Le nouveau visage
de la collection Or

◆

AMOURS D'AUJOURD'HUI

Afin de mieux exprimer sa modernité et de vous séduire encore davantage, votre collection Or a changé de couverture et de nom depuis le 1er mars 1995.

Rassurez-vous, les romans, eux, ne changent pas, et vous pourrez retrouver dans la collection **Amours d'Aujourd'hui** tous vos auteurs préférés.

Comme chaque mois, en effet, vous y attendent des héros d'aujourd'hui, aux prises avec des passions fortes et des situations difficiles...

**COLLECTION
AMOURS D'AUJOURD'HUI :**
Quand l'amour guérit des blessures de la vie...

Chère lectrice,

Vous nous êtes fidèle depuis longtemps?
Vous venez de faire notre connaissance?

C'est pour votre plaisir que nous avons
imaginé un rendez-vous chaque mois
avec vos auteurs préférés, vos
AUTEURS VEDETTE dans les
collections Azur et Horizon.

Les AUTEURS VEDETTE vous
donneront rendez-vous pour de
nouveaux livres vedette.

Pour les reconnaître, cherchez
l'étoile ... Elle vous guidera!

Éditions Harlequin

HARLEQUIN

LE FORUM DES LECTEURS ET LECTRICES

CHERS(ES) LECTEURS ET LECTRICES,

VOUS NOUS ETES FIDÈLES DEPUIS LONGTEMPS?

VOUS VENEZ DE FAIRE NOTRE CONNAISSANCE?

SI VOUS AVEZ DES COMMENTAIRES, DES CRITIQUES À FORMULER, DES SUGGESTIONS À OFFRIR, N'HÉSITEZ PAS... ÉCRIVEZ-NOUS À:

> LES ENTREPRISES HARLEQUIN LTÉE.
> 498 RUE ODILE
> FABREVILLE, LAVAL, QUÉBEC.
> H7R 5X1

C'EST AVEC VOS PRÉCIEUX COMMENTAIRES QUE NOUS ALLONS POUVOIR MIEUX VOUS SERVIR.

DE PLUS, SI VOUS DÉSIREZ RECEVOIR UNE OU PLUSIEURS DE VOS SÉRIES HARLEQUIN PRÉFÉRÉE(S) À VOTRE DOMICILE, NE TARDEZ PAS À CONTACTER LE SERVICE D'ABONNEMENT; EN APPELANT AU (514) 875-4444 (RÉGION DE MONTRÉAL) OU 1-800-667-4444 (EXTÉRIEUR DE MONTRÉAL) OU TÉLÉCOPIEUR (514) 523-4444 OU COURRIER ELECTRONIQUE: AQCOURRIER@ABONNEMENT.QC.CA OU EN ÉCRIVANT À:

> ABONNEMENT QUÉBEC
> 525 RUE LOUIS-PASTEUR
> BOUCHERVILLE, QUÉBEC
> J4B 8E7

MERCI, À L'AVANCE, DE VOTRE COOPÉRATION.

BONNE LECTURE.

HARLEQUIN.

VOTRE PASSEPORT POUR LE MONDE DE L'AMOUR.

ROUGE PASSION

De fiévreuses histoires d'amour sensuelles!

De provocantes histoires d'amour passionnées et romantiques qu'on lit d'une seule traite. Aventureuses, parfois humoristiques, et sensuelles, elles mettent en vedette des hommes et des femmes d'aujourd'hui.

ROUGE PASSION...
trois nouveaux titres
chaque mois.

HARLEQUIN

COLLECTION
ROUGE PASSION

- Des héroïnes émancipées.
- Des héros qui savent aimer.
- Des situations modernes et réalistes.
- Des histoires d'amour sensuelles et provocantes.

LAISSEZ-VOUS TENTER
par 3 titres irrésistibles
chaque mois.

RP-1-R

69 L'ASTROLOGIE EN DIRECT
TOUT AU LONG
DE L'ANNÉE.

(France métropolitaine uniquement)
Par téléphone 08.92.68.41.01

0,34 € la minute (Serveur SCESI).

Composé et édité par les
*éditions*Harlequin
Achevé d'imprimer en décembre 2004

BUSSIÈRE

GROUPE CPI

à Saint-Amand-Montrond (Cher)
Dépôt légal : janvier 2005
N° d'imprimeur : 45491 — N° d'éditeur : 11068

Imprimé en France